SÍGUEME UNO
CINCO PASOS PARA CRECER ESPIRITUALMENTE

Ralph W. Neighbour, Jr.
y Bill Latham

LifeWay Press®
Nashville, Tennessee

ISBN 978-0-7673-3186-9
Ítem 001133368

Clasificación Decimal Dewey: 248.4

A menos que se indique lo contrario, todas las citas bíblicas se han tomado de la Santa Biblia, Versión Reina Valera de 1960, propiedad de las Sociedades Bíblicas en América Latina, publicada por Broadman & Holman Publishers, Nashville, TN. Usada con permiso.

Para ordenar copias adicionales escriba a LifeWay Customer Service, One LifeWay Plaza, Nashville, TN 37234-0113; FAX (615) 251-5933; teléfono 1-800 257-7744 ó envíe un correo electrónico a customerservice@lifeway.com. Le invitamos a visitar nuestro portal electrónico en www.lifeway.com donde encontrará otros muchos recursos disponibles. También puede adquirirlo en la librería LifeWay de su localidad o en su librería cristiana favorita.

Impreso en los Estados Unidos de América

Global Publishing
LifeWay Resources
One LifeWay Plaza
Nashville, TN 37234-0196

Aviso:

Ser cristiano es mucho más que confiar en Cristo para salvación

Al leer este aviso es probable que su reacción fuera algo así: "Dime otra cosa. Supe esto en menos de 24 horas de ser un nuevo creyente". Es posible que también ha descubierto que mientras más se esfuerza, más difícil le resulta crecer espiritualmente y poner en práctica su fe. Cada día al enfrentar al mundo lo arriesga todo, menos la seguridad de su salvación. Satanás hará todo lo posible con tal de evitar que usted crezca, sirva, ministre y testifique con eficacia. Él quiere robarle su comunión con el Padre y paralizar su vida como discípulo. Pero anímese. "Sígueme" es más que un "título". Es una promesa segura para usted si la desea.

¡Usted puede seguir adelante! Aquí encontrará el por qué y el cómo.

Poco antes de que Jesús muriera en la cruz, Él oró la más ferviente oración que se registra en la Biblia. ¿Está preparado para ella? Esa oración fue por usted. Jesucristo debe de haber deseado que usted supiera lo que Él dijo ya que dejó un registro de la misma en Juan 17:1-26.

Tome su Biblia y lea lo que Jesús le dijo a Dios acerca de usted y lo que le pidió que hiciera a su favor.

Ahora, cambie lo que Jesús dijo al tiempo presente y hágalo lo más personal que pueda. Escriba su nombre en cada espacio en blanco. Trate de sentir la reverencia y la admiración por Jesucristo el Salvador, quien le hablaba a Dios el Padre con respecto a usted.

Cómo hacer personal la promesa de Jesús

Yo ruego por ~~Cristina~~ Camila ; no ruego por el mundo, sino por ~~Cristina~~ Camila que me diste; porque ~~Cristina~~ tuyo es, y todo lo mío es tuyo, y lo tuyo mío; y he sido glorificado en ~~Cristina~~ Camila Pero ahora voy a ti; y hablo esto en el mundo, para que ~~Cristina~~ tenga mi gozo cumplido en sí mismo. Yo le he dado tu palabra a ~~Cristina~~; y el mundo aborreció a ~~Cristina~~, porque ~~Cristina~~ no es del mundo, como tampoco yo soy del mundo. No ruego que quites a ~~Cristina~~ del mundo, sino que guardes a ~~Cristina~~ del mal. ~~Cristina~~ no es del mundo, como tampoco yo soy del mundo. Santifica a ~~Cristina~~ en tu verdad; tu palabra es verdad. Como tú me enviaste al mundo, así yo he enviado a ~~Cristina~~ al mundo. Y por ~~Cristina~~ yo me santifico a mí mismo, para que también ~~Cristina~~ sea santificado en la verdad. Padre justo, el mundo no te ha conocido, pero yo te he conocido, y ~~Cristina~~ han conocido que tú me enviaste. Y le he dado a conocer a ~~Cristina~~ tu nombre, y lo daré a conocer aún, para que el amor con que me has amado, esté en ~~Cristina~~, y yo en ~~Cristina~~ (Juan 17:9, 10, 13-19, 25, 26, adaptado).

3

Usted puede alcanzar una comunión con el Padre que crezca y se profundice cada día más. Usted puede crecer espiritualmente y vivir de manera victoriosa. Dios desea esto para usted. Cristo murió para que fuera posible y el poder el Espíritu Santo está en usted para capacitarlo y permitirle que así sea.

Antes de todo, usted debe apartar un tiempo y un lugar definidos para encontrarse con su Señor cada día. Esta será su hora devocional. Tanto como le sea posible, debe planear encontrarse con Él en el mismo lugar y a la misma hora cada día. Determine en este momento y escriba en el margen cuál será esa hora y ese lugar.

Una rápida mirada hacia adelante

Durante las próximas seis semanas, utilice los ejercicios diarios de este libro como una guía para su hora devocional. Realice solo las actividades correspondientes a un día a la vez. Su meta es desarrollar y fortalecer nuevos hábitos en su vida, y eso lleva tiempo. El tener una hora devocional diaria es muy importante para su supervivencia en cualquier cosa que haga.

A medida que usted crezca espiritualmente, aprenderá muchas verdades. Las cinco verdades que aprenderá por medio de este libro son importantes para su desarrollo cristiano. Su mano puede ayudarlo a recordar esas verdades.

Observe la manera como las verdades se distribuyen en el dibujo de una mano. El pulgar trabaja en colaboración con cada uno de los demás dedos. Ser parte del cuerpo de Cristo es importante para las otras verdades. Desarrollarse como cristiano dependerá de la combinación suya de la primera verdad con las otras.

Considere que "Cristo vive en usted y lo controla todo" es central. Para su desarrollo como cristiano, el punto inicial y el poder para seguir adelante descansan en el señorío de Cristo sobre su vida.

Usted conoce por experiencia que ser cristiano no es fácil. A medida que trabaja con su "Sígueme Uno", aprenderá cómo tratar con asuntos clave que son importantes para su desarrollo como cristiano. Cada semana aprenderá acerca de una de estas verdades dibujadas en la mano, y observará cómo esa verdad se relaciona con uno de esos asuntos clave.

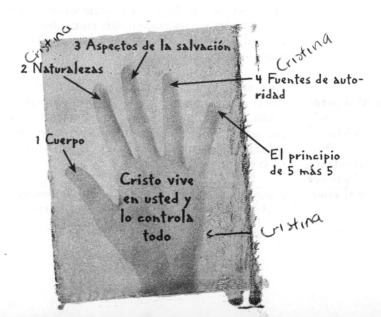

Cristina

3 Aspectos de la salvación

2 Naturalezas

Cristina

4 Fuentes de autoridad

1 Cuerpo

El principio de 5 más 5

Cristo vive en usted y lo controla todo

Cristina

Cómo planear su estudio de "Sígueme Uno"

Usted no necesitó mucho tiempo después de convertirse a Cristo para aprender que Satanás no se detendría en tratar de frustrar sus esfuerzos por crecer y servir a su nuevo Maestro. ¿No es verdad? ¡Y esto asusta! Pero Cristo quiere que usted conozca que tal cómo en realidad Él lo ha salvado y lo mantendrá salvo; Él puede darle la victoria sobre cualquier cosa que Satanás pueda lanzarle. **¡Usted puede ser un vencedor en su vida cristiana!**

El fundamento sobre el que descansa su crecimiento espiritual es su relación con Cristo, el cual vive en usted. La mejor manera de establecer y fortalecer este fundamento es invirtiendo tiempo a solas con Él estudiando la Biblia, orando y meditando. Por lo tanto, el tema de la semana de fundamento será **Cristo vive en usted.**

Después que hayamos establecido el fundamento, aprenderemos cómo tratar con esos cinco asuntos clave que son importantes para su desarrollo cristiano. El primer asunto clave es su necesidad de aprender a vivir en la nueva relación que tiene con otros cristianos. Por lo tanto, el tema de la Semana 1 será: **1 Cuerpo — Su vida y su servicio.**

La Biblia enseña que todos los creyentes constituyen el Cuerpo de Cristo y la iglesia es la expresión local de ese Cuerpo. El lugar donde el crecimiento espiritual es más fácil y más natural es en el cuerpo: la comunión de los creyentes que componen una iglesia local. Cuando usted estudie con respecto a **1 Cuerpo**, observará la manera en que su crecimiento continuo como cristiano depende de manera poderosa de su relación con el Cuerpo de Cristo.

Cada cristiano aprende pronto que la vida no es siempre fácil, aunque la victoria es verdadera. En todas esas cosas nos parece que tuvimos la victoria solo tratando de llegar. Luego usted se enfrenta con el hecho de que la vieja naturaleza no desapareció cuando confió en Cristo y Él le dio una nueva naturaleza. La vieja naturaleza es la manera que Satanás emplea para tratar de hacerlo volver a su antigua vida de derrota y destruir su comunión con el Padre. Durante toda su vida, la vieja naturaleza estará en conflicto con su nueva naturaleza. El siguiente asunto importante es que usted debe aprender a tratar con su conflicto interior con el pecado. De modo que, el tema de la Semana 2 es **2 Naturalezas — La vieja y la nueva.**

¿Recuerda lo rápido que Satanás usó su vieja naturaleza para tratar de hacerlo volver a su vida anterior? De pronto usted se llenó de dudas y preguntas. "¿Cómo pudo ocurrir esto? ¡Se supone que no sea de esta forma! ¿Qué puedo hacer?" Está turbado y avergonzado, no quiere decepcionar a sus amigos y familiares. Lo más importante, no quiere decepcionar ni entristecer a Dios.

El fundamento para su crecimiento espiritual

Como aprender a vivir en una nueva relación

Cómo aprender a tratar con su conflicto interior con el pecado

Cómo manejar las dudas acerca de su experiencia

Cada vez que se pregunta a sí mismo: "¿Qué haré?" Satanás le da·una gran opción: "Finge. Disimula todas esas cosas que están arrastrándote de nuevo y pretende ser todas las cosas que piensa que Dios y los otros esperan que seas. Actúa como si fueras un actor en un escenario".

El único problema con "fingir" es que usted no puede engañarse a sí mismo. Pronto se dará cuenta de que está viviendo una mentira. No tiene victoria en su interior. Se da cuenta de que Satanás lo ha derrotado, usted se siente como un hipócrita. Por eso es importante que aprenda a aceptar su conflicto interior con el pecado como una realidad. No entender ni tratar con el asunto de su conflicto interior con el pecado le abre la puerta a Satanás para golpearlo con dudas acerca de su experiencia con Cristo. Satanás señalará a la vieja naturaleza la que le está dando a usted problemas: "Mira eso. Si en realidad fueras salvo, no tendrías esos sentimientos ni harías esas cosas". Por lo tanto, el tema de la Semana 3 es: **3 Aspectos de la salvación — Su comienzo, un proceso continuo, su culminación.**

"Sígueme Uno" lo ayudará a aprender que su salvación tiene tres aspectos: Es un punto en el tiempo cuando Cristo lo salvó de la condenación del pecado y vino a vivir en usted como su Señor; es un proceso continuo en el que el Espíritu Santo ayuda a su nueva naturaleza a ganar victorias cada día sobre el poder y la influencia del pecado; y es un punto final en el tiempo cuando Cristo lo hará libre para siempre de la presencia del pecado.

Para descubrir qué es la verdad

El cuarto asunto clave es muy importante. Hasta que no entienda su autoridad para descubrir qué es la verdad, nunca se sentirá seguro con respecto a la manera de cómo vivir su fe dentro de la comunidad de creyentes y en el mundo. De modo que, el tema de la Semana 4 es: **4 Fuentes de autoridad.**

Aprenderá que esas tres inadecuadas fuentes de autoridad tienen cierto lugar en la determinación de la verdad. Pero la verdadera fuente de autoridad para el cristiano es la Palabra de Dios, la Biblia.

Para dar a conocer su fe con eficacia

¿Ha encontrado ya algunos "cristianos mudos" que nunca le han dado a conocer su fe a otros? Si no, ya los encontrará. Puede asombrarse porque no tienen deseos de decirle a otros lo que Cristo ha hecho por ellos. Necesita aprender cómo evitar el ser atrapado por el "síndrome del cristiano mudo". Por lo tanto, el tema de la Semana 5 es: **El principio de 5 más 5 — Puede ganar a otros por medio de la oración y de su testimonio.**

Los cristianos que no testifican de manera verbal no están dando a conocer el evangelio de manera eficaz como pudieran. Aunque pueden estar ocupados en la iglesia, la vida cristiana de ellos será semejante a un árbol sin frutos. "Sígueme Uno" lo ayudará a aprender como evitar volverse un "cristiano mudo" por el empleo del principio de 5 más 5.

¿PREPARADO? COMENZAMOS.

DÍA 1:
Cómo establecer una hora devocional

Lea 1 Juan 4:13-16.

¿Esperaría estar saludable si sólo comiera una comida el domingo? ¡Claro que no! Usted no sobreviviría por mucho tiempo. ¿Piensa que estará saludable espiritualmente si el domingo es la única vez que nutre a su espíritu?

Como nutrirse a usted mismo espiritualmente

Una **hora devocional cada día** le provee la nutrición espiritual continua y sistemática que usted debe recibir. Cada día, usted debe encontrar un tiempo para estar a solas con Cristo. Estará complacido de los resultados. Experimentará el gozo y el aliento de una relación saludable entre usted y su Señor.

Observe de nuevo el dibujo de la mano que aparece en la página 4. Recuerde que la palma de la mano representa que **Cristo vive en usted y lo controla todo**. Una hora devocional cada día es tan importante porque es el contacto regular con Jesucristo, su fuente de vida espiritual.

Ahora haga una franca evaluación. Marque la afirmación que describe mejor su hora devocional.
❑ Mi hora devocional es una práctica diaria en mi vida y me siento bien, solo eso.

❑ Mi hora devocional es una práctica diaria en mi vida, pero no me parece que sea tan importante como pienso que debiera.
❑ Mi hora devocional es una práctica irregular y no es tan importante como pienso que debiera.
❑ No practico una hora devocional, pero siento la necesidad de hacerlo.

Si marcó cualquiera de las tres últimas oraciones, las siguientes orientaciones lo ayudarán a conocer cómo establecer o fortalecer su hora devocional y personal.

1. Tenga un tiempo y lugar específicos para su tiempo devocional. Considere su hora devocional como una cita con Cristo. Usted necesita encontrarse en un lugar específico a una hora específica para esa cita como si fuera una cita con su médico. Recuerde que usted tiene una cita con Cristo. Él estará esperándolo allí. Eso le da un enfoque diferente a su hora devocional, ¿no es así? El darle la primera prioridad a su hora devocional es más fácil cuando recuerda que Jesús lo está esperando en el lugar y a la hora convenida. Si es posible, ese tiempo debiera ser al comienzo de su día. Todo el día será diferente si lo comienza con Cristo.

Cómo tener una buena hora devocional

2. Sea consistente. Pregúntese si en realidad está siendo serio con respecto a invertir tiempo a solas con Él o si solo se encuentra con Él de forma esporádica. Los que trabajan con computadoras usan la expresión: "Basura que entra, basura que sale". Esto significa que si le da a su computadora una información equivocada le está pidiendo que haga lo que no está dispuesto a hacer. Es lo mismo en su vida en el mundo. Una hora devocional al comienzo del día es la manera en que usted se "programa" para permitirle a Cristo ser el Señor de su vida ese día.

3. Tenga una Biblia y un lápiz a la mano. Cinco días a la semana, necesitará estas dos herramientas para hacer su trabajo en "Sígueme Uno". Los restantes dos días debe usar su Biblia y otros materiales (la revista de la Escuela Dominical, los estudios de discipulado, etc.) que usa el domingo para participar en lo que su iglesia hace para ayudarlo a aprender y a crecer espiritualmente. A medida que usted madure en la práctica de su hora devocional, es probable que quiera añadir una pequeña libreta de notas para mantener un diario espiritual y para hacer notas con respecto a lo que ha aprendido y experimentado.

4. Comience su hora devocional en oración. Ábrale su corazón a Cristo. Déle el derecho de enseñarlo, disciplinarlo y dirigirlo en su estudio y meditación. Dígale a Cristo cuánto lo ama. Comparta sus preocupaciones con Él.

5. Dedique tiempo para permitirle a Cristo que le hable. La lectura de la Biblia siempre será la parte principal de su hora devocional. Pero orar y una lectura rápida de la Biblia no son suficientes. Usted debe detenerse y permitirle a Cristo que le hable cuando medita en su Palabra.

6. Finalice su hora devocional con un compromiso definido para el día. Determine cómo usted puede manifestar lo que Cristo le ha revelado durante su hora devocional. Esta es una forma práctica de manifestar su fe por medio de su diario vivir.

7. Ore. Exprese su amor hacia Dios. Déle gracias porque Él le ha dado su propia vida por medio de Cristo. Comparta con Dios las maneras especiales en que necesita su poder en su vida hoy. Pídale que Él viva por medio de usted a medida que anda en el mundo hoy.

8. Lea 1 Juan 4:13-16. Ahora permita a Dios que lo nutra por medio de la meditación en lo que ha leído. Una forma de "digerir" los pensamientos en un pasaje que ha leído es volver a escribir ese pasaje en sus propias palabras. El hacer esto le permite conocer con rapidez si entendió lo que leyó. Dedique tiempo ahora para volver a escribir 1 Juan 4:13-16 en sus propias palabras.

_____

_____

Cómo meditar en las Escrituras

Otra manera de meditar en un pasaje de las Escrituras es hacerse preguntas con respecto al pasaje. Use 1 Juan 4:13-16 para hacer eso en este momento. No se preocupe si sus respuestas no son muy claras para algunas de las preguntas. Estas son preguntas generales para guiar su meditación. Diferentes pasajes tienen diferentes verdades que enseñarle. Por lo tanto, puede no haber siempre una respuesta para cada pregunta. Además, recuerde que Dios no puede revelar todas las respuestas a una pregunta en este momento. Él puede revelar solo la parte que Él quiere que usted conozca en este momento. Sencillamente, abra su corazón y confíe en el Espíritu Santo para que lo enseñe a buscar las respuestas.

¿Hay una verdad que debiera influir (1) en lo que creo, (2) en la manera como siento, o (3) en la forma como me comporto.

_____

_____

¿Hay un ejemplo a seguir o evitar?

_____

_____

¿Hay un mandato a obedecer?

_____

_____

¿Hay una promesa en que confiar?

_____

Como cristiano usted ha experimentado de manera

personal que Dios el Padre envió a Jesucristo para que sea tanto su Señor como su Salvador. Ahora, ¿de qué manera usted puede obedecer a su señorío al manifestar las verdades que Él le ha enseñado por medio de 1 Juan 4:13-16? Termine su hora devocional de hoy escribiendo por lo menos una forma específica en que tratará de poner en práctica lo que ha aprendido en su vida en este día.

_____

_____   Su compromiso para hoy

_____

_____

_____

_____

_____

_____

9

DÍA 2:
Use su Biblia como la fuente para el crecimiento cristiano

Lea Salmo 119:11, 15-16; 40:8.

Su hora devocional de cada día debe siempre enfocarse en las Escrituras. El Cristo que vive en usted le hablará a su corazón cuando lea y medite en la Palabra de Dios. A medida que usted trabaje en su "Sígueme 1", debiera leer el pasaje asignado al comenzar el ejercicio de cada día. Luego use las preguntas que aprendió ayer para meditar acerca del pasaje.

Use una Biblia de estudio

¿Tiene usted una Biblia de estudio? La Reina-Valera versión de 1960 es quizás la más popular y la más usada. También obtendrá una mayor ayuda de muchos pasajes al leer alguna de las más recientes traducciones de la Biblia.

Comprar alguna de esas Biblias será una buena inversión para su crecimiento espiritual.

Quizás tiene problemas para encontrar los libros, los capítulos y los versículos en su Biblia. Eso es normal. Muchos de sus amigos cristianos tienen el mismo problema. No vacile en usar el índice en el principio de su Biblia para localizar un libro.

Usted no necesita del índice para encontrar los versículos de hoy. Todos están en los Salmos, y encontrará los Salmos exactamente en el centro de su Biblia. Explore a través del libro de los Salmos y observe la manera en que están arreglados los capítulos (los números grandes) y los versículos (los números pequeños). En el libro de los Salmos, encuentre y lea el Salmo 119, versículo 11. ¿Dónde dice el escritor que guarda la Palabra de Dios?

Las Escrituras para el estudio de hoy

_____

Una forma de decir: "Lo he memorizado" es "Lo sé por experiencia". El autor del Salmo 119:11 empleó la misma palabra — corazón—, para decir dónde guardaba la Palabra de Dios. La última parte del mismo versículo dice el gran valor de memorizar las Escrituras. ¿Cuál es ese valor? Escríbalo aquí.

_____

El memorizar la Palabra de Dios lo puede ayudar a no pecar contra Dios. Ahora encuentre y lea el Salmo 40:8. Si no tiene una Biblia a mano, ¿dónde puede guardar las Escrituras para usarlas en caso de emergencia?

_____

Busque el Salmo 119 y lea los versículos 15 y 16. Esos versículos le dicen algo que le ocurrirá cuando de una manera más completa usted desarrolle la disciplina de memorizar la Palabra de Dios. Con sus propias palabras describa lo que le ocurrirá.

_____

No sabe que disfrutará del más grande gozo y placer cuando memorice la alentadora Palabra de Dios. Y puede memorizar la Palabra de Dios con la misma facilidad con que ha memorizado muchas otras cosas. En el listado a continuación, marque las áreas en las que usa su memoria para recordar información que necesita con frecuencia.

número de teléfono	nombres de calles
códigos postales	nombres de personas
compromisos futuros	número de licencia
fórmulas matemáticas	versículos bíblicos

Cómo memorizar las Escrituras

Ninguna otra frase de exhortación en "Sígueme Uno" tendrá más grande valor para su crecimiento espiritual que esta: **Haga de la memorización de las Escrituras un hábito regular.** Usted puede memorizar con facilidad las Escrituras. Para ayudarlo en su inicio, 12 versículos se encuentran impresos en la página 125 al final de este libro. Debe memorizar dos de ellos cada semana. Estos versículos se encuentran de manera tal que usted puede recortarlos en pequeñas tarjetas a medida que los necesite. El primer versículo que aprenderá es Salmo 119:11. ¿Por qué molestarse en aprender las palabras exactas de un versículo bíblico? Permítame sugerirle cuatro razones:

- Es más fácil recordar un versículo palabra por palabra que en alguna forma vagamente resumida.
- Es más fácil meditar en un versículo cuando lo puede repetir usted mismo.
- Los versículos que ha memorizado lo ayudarán y le darán confianza cuando esté luchando con la tentación, cuando le esté hablando a otros de Cristo y cuando esté explicando lo que usted cree.
- Sobre todo, el Señor de su vida quiere que usted conozca su Santa Palabra.

¿Puede añadir otras razones?

_____

_____

_____

_____

_____

Comience ahora mismo. Recorte los versículos a medida que le son asignados en sus ejercicios para cada día. Desde ahora en adelante, usted debe comenzar a memorizar un nuevo versículo cada lunes y cada miércoles. Escriba los versículos y póngalos en lugares importantes para usted: cerca del fregadero de la cocina, en el espejo del baño, sobre su mesa de trabajo o escritorio, cerca de su teléfono etc. El lugar donde ponga los versículos no es tan importante como situarlos en un lugar o lugares en que los vea a menudo. Con un poco de planificación y de esfuerzo, encontrará que puede usar ratos durante el día cuando está inactivo. Puede memorizarlos mientras se viste, camina, espera, descansa y así por el estilo.

De forma sistemática repase todos los versículos que ha aprendido. Usted debe reforzar lo aprendido si espera que permanezca con usted. Para repasar, vuelva las tarjetas de manera que vea el lado con la referencia bíblica impresa. Repita ese versículo de forma audible por usted mismo. Entonces, dé vuelta a la tarjeta para ver si lo repitió correctamente. Si lo hizo, ponga a un lado la tarjeta. Si no repitió el versículo correctamente, ponga la tarjeta de nuevo al final del montón.

Las Escrituras son su fuente de autoridad, el libro guía para un cristiano. El tener la Biblia a mano para cuando la necesite es importante. Muchas veces cuando más necesita las Escrituras, no tiene a mano una Biblia.

Aprenda sus versículos bíblicos como si su crecimiento espiritual dependiera de esto... y en realidad es así.

Su compromiso para hoy

¿Está listo para comprometerse con usted mismo a una norma de memorización de las Escrituras de manera regular? Si es así, emplee sus propias palabras para escribirle una nota personal a Cristo en la que le expresa ese compromiso.

Amado Jesús:

_____

_____

_____

_____

_____

_____

_____

Ahora, enumere cuatro lugares en los que puede poner sus tarjetas de memorización para recordarse de ellas.

_____

_____

_____

_____

DÍA 3:
Cómo aprender a orar

Lea Mateo 6:9-13.

¿Cómo se siente con respecto a la oración? ¿Piensa que hablar con Dios es algo fácil y natural de hacer? ¿O se siente indeciso e inadecuado cuando trata de orar? Esto puede ser cierto si se le ha pedido que ore de manera audible ante otras personas. Observe las siguientes oraciones y determine si alguna de ellas refleja lo que usted piensa o siente al tratar de orar.

- Tengo temor de decirle algo o pedirle algo a Dios que no debiera.
- No puedo hacer que mis oraciones tengan palabras rebuscadas.
- Tengo temor de verme en un aprieto porque no puedo orar de manera tan imaginativa y maravillosa como lo hacen otros.

Usted no tiene problemas para hablarle a un amigo íntimo, ¿no es así? ¿Cómo se siente para hablarle a ese amigo? Enumere algunas de las cosas verdaderamente buenas acerca de las que puede hablarle a un amigo íntimo y de confianza. Además, indique algunos de los sentimientos que le produce tener esta clase de amigo.

Orar es como hablarle a su mejor amigo

Cuando los seguidores de Jesús le pidieron que les enseñara como orar, Él les dio un modelo a seguir. Le llamamos por lo general la Oración Modelo. Su lectura bíblica para hoy registra esa oración. Si todavía no ha leído el pasaje, hágalo en este momento. Encontrará a Mateo en el índice de su Biblia, o trate de abrir su Biblia en la cuarta parte posterior. ¿Cómo dijo Jesús que debemos dirigirnos a Dios cuando oramos? Escríbalo aquí.

¿Cómo se sentiría al hablar a su padre si él no fuera solo su mejor amigo, sino también el padre más perfecto en todo el mundo? Pues bien, Dios es su Padre; un Padre perfecto que lo ama con todo cariño y que hará cualquier cosa por usted si es para su bien, su felicidad y su bienestar. Usted puede hablarle con libertad y con franqueza. Él sabe todo acerca de usted y lo ama tal como es. Él está ansioso porque usted le hable como un niño pudiera hablar con un padre perfecto, amoroso y solícito. Él no espera que use frases rebuscadas o un vocabulario elocuente. Él solo desea que sea usted mismo y que le hable desde lo más profundo de su corazón.

Orar es como hablarle al padre perfecto

Jesús también enseñó a sus seguidores las clases de cosas acerca de las cuales debían orar. Esas no son todas las cosas por las que siempre desearemos orar, pero los aspectos enumerados son un buen comienzo. Esos aspectos se encuentran en el lado izquierdo del cuadro siguiente. Abra su Biblia en Mateo 6:9-13, tome su lápiz y copie la Oración Modelo en los espacios en blanco. Comience con las palabras "Padre nuestro". Cuando copie toda la oración, coordine cada frase u oración con uno de los aspectos que aparece en el lado izquierdo del cuadro.

Un modelo para orar

Emplee el siguiente bosquejo para revisar su trabajo. Usted debe haber coordinado cada aspecto con todo o parte del versículo señalado junto al aspecto en el bosquejo.

- Dirigirnos a Dios como es debido (v. 9)
- Mostrar respeto por el nombre de Dios (v. 9)
- Someternos nosotros mismos y toda la tierra a los planes de Dios (v. 10)
- Pedir a Dios que provea para nuestras necesidades (no deseos) (v. 11)
- Pedir perdón (v. 12)
- Pedir su protección (v. 13)

ASPECTOS EN LA ORACIÓN MODELO	LA ORACIÓN MODELO
Dirigirnos a Dios como es debido	
Mostrar respeto por el nombre de Dios	
Someternos nosotros mismos y toda la tierra a los planes de Dios	
Pedir a Dios que provea para nuestras necesidades (no deseos)	
Pedir perdón	
Pedir su protección	
Manifestar que nuestro más grande deseo es el gobierno de Dios sobre nosotros	
Terminar bien nuestra oración	

- Manifestar que nuestro más grande deseo es el gobierno de Dios sobre nosotros (v. 13)
- Terminar bien nuestra oración (v. 13)

¿Le parece Mateo 6:9-13 más claro ahora que ha coordinado lo que dice con los aspectos del bosquejo? Puede ver que desde este bosquejo, ningún otro aspecto puede ser mejor que estos. A veces sentirá necesidad de orar de forma más específica con respecto a uno de esos aspectos más que otros.

Su compromiso para hoy

La mejor forma para aprender a orar es ... **orando.** En un momento, le pediré que concluya esta sección en oración. Le ruego que ponga en orden sus pensamientos y determine qué desea decirle a Dios en este momento. Use la Oración Modelo como una guía. ¿Qué le diría a Dios para mostrarle cuánto lo respeta y honra?

_____

_____

¿Qué parte de su vida y de su mundo necesita confiar al control de Dios en el día de hoy?

_____

¿Necesita pedir el perdón de Dios? ¿Por qué? ¿Para qué?

_____

_____

¿En qué aspecto de su vida necesita hoy la protección de Dios?

_____

_____

_____

_____

¿Qué puede hacer y decir para reconocer el gobierno de Dios sobre su vida?

_____

_____

_____

_____

Ahora use el plan que ha formulado para finalizar esta sesión de estudio en oración.

DÍA 4:
Cómo entender lo que le ha ocurrido

Lea 2 Corintios 5:17; Colosenses 1:21-22, 27.

A medida que la calidad de su hora devocional crece en profundidad, usted se da cuenta de que algunas cosas están cambiando en su vida. Segunda Corintios 5:17 habla acerca de esos cambios. Encuentre ese versículo en su Biblia y léalo en este momento.

Tres palabras claves en 2 Corintios 5:17 resumen lo que ha ocurrido en su vida desde que se convirtió a Cristo. Descubra esas palabras claves y escríbalas *Usted ha* en el espacio correspondiente a continua-*cambiado* ción.

Si alguno está _____

Las cosas _____ pasaron

Todas son hechas _____

_____

Sí, Cristo hace la distinción entre su vieja vida y la nueva. Colosenses 1:21-22 da las razones para estos cambios. Ahora Cristo vive en usted y lo controla todo. Encuentre y lea esos versículos en este momento.

Según Colosenses 1:21, ¿cuál era su actitud hacia Dios antes de convertirse a Cristo? Señale cualquiera que corresponda entre las siguientes:
❏ amistosa ❏ enajenado ❏ pacífica
❏ armoniosa ❏ hostil ❏ enemigos

De acuerdo con Colosenses 1:21, ¿cómo vio Dios nuestros actos y pensamientos antes de convertirnos a Cristo? Señale cualquiera que corresponda entre las siguientes:
❏ malos ❏ perdonables
❏ sin fundamentos ❏ imperdonables
❏ malvados

Por qué necesita ser cambiado

Puede haber pensado que en realidad usted no era tan malo. Y puede sentirse un poco incómodo al ver que las Escrituras describen su relación como hostil, enajenada y de enemistad. Quizás se sintió tan incómodo al conocer que ante los ojos de Dios, las cosas que usted pensó e hizo eran malas y malvadas. Ese sentimiento de inconformidad y vergüenza es una razón más de estar agradecido a Él por amarlo y salvarlo pese a como usted era.

Algunas cosas que disfrutaba y le producían diversión antes de que se convirtiera a Cristo, no le dan ahora diversión. Ahora que Cristo es su Señor, esas cosas parecen sin gracia e insípidas para usted. ¿Por qué? Porque Dios lo está cambiando a usted. Colosenses 1:22 usa tres palabras o frases para describir el cambio que Dios está haciendo en usted. Escriba las tres palabras o frases que encuentra en su Biblia.

Aquí está lo que es la diferencia

1._____

2._____

3._____

Usted observó la palabra **"santos"**. Quizás nunca se ha considerado a sí mismo como un **"santo"**. Puede ser que no desea tener la falsa idea que algunas personas tienen de lo que es una persona "santa". En la Biblia la palabra **"santo"** tiene tres significados aplicables a usted y a mí. En primer lugar, se aplica a los lugares donde Dios está presente, las personas relacionadas con esos lugares o Dios mismo. En segundo lugar, la palabra significa pureza y santidad en el pueblo de Dios. En tercer lugar, describe los lugares, las cosas y las personas que han sido separadas para estar en la presencia de Dios. Usted es un **"santo"** porque Dios lo ha apartado de sus viejos caminos de maldad y lo ha separado para Él. Dios está creando una nueva pureza en usted. Él lo ayuda a limpiar los caminos viejos — y aun del deseo por los viejos caminos — de su vida.

A propósito, ¿está usando la tarjeta de memorización de las Escrituras para ayudarse a aprender el versículo a memorizar para esta semana? Usted debe recortar esta tarjeta de la semana de la página 125. Póngala en lugares donde la vea con frecuencia. Llévela con usted, así la puede usar para un repaso rápido cuando tiene un momento libre. Debe hacer un paquete de tarjetas de memorización al añadir la tarjeta o tarjetas de cada semana a las que ya ha recortado.

Ha observado ya cómo 2 Corintios 5:17 explica qué cosas están cambiando en su vida. Si hubiera empleado su propia experiencia para explicar el significado de este versículo a un incrédulo, ¿qué le diría? Tome tiempo para pensar. Entonces escriba esa explicación aquí en un corto párrafo.

Por qué las cosas están cambiando en su vida

_____

_____

_____

_____

Ahora observe Colosenses 1:27. La última parte de ese versículo le dice Quién está cambiando su vida de una vieja vida a una nueva. Según Colosenses 1:27, ¿dónde está Cristo en este momento?

¿Las dos sencillas palabras "en vosotros" le recuerdan lo que escribió en la palma de la mano dibujada que ha visto en "Sígueme Uno"? Escriba esa frase en la palma de la mano en el dibujo que aparece en la página siguiente.

Cristo está "en usted". Él es el Cristo que vive en usted y lo controla todo. Por eso, su vida está cambiando día a día.

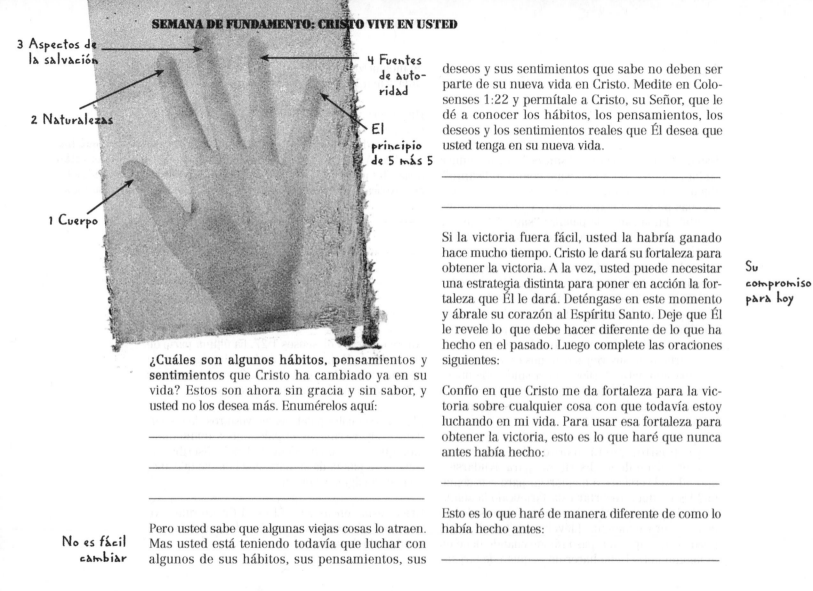

3 Aspectos de la salvación

4 Fuentes de autoridad

2 Naturalezas

El principio de 5 más 5

1 Cuerpo

deseos y sus sentimientos que sabe no deben ser parte de su nueva vida en Cristo. Medite en Colosenses 1:22 y permítale a Cristo, su Señor, que le dé a conocer los hábitos, los pensamientos, los deseos y los sentimientos reales que Él desea que usted tenga en su nueva vida.

_____

_____

¿Cuáles son algunos hábitos, pensamientos y sentimientos que Cristo ha cambiado ya en su vida? Estos son ahora sin gracia y sin sabor, y usted no los desea más. Enumérelos aquí:

_____

_____

_____

No es fácil cambiar

Pero usted sabe que algunas viejas cosas lo atraen. Mas usted está teniendo todavía que luchar con algunos de sus hábitos, sus pensamientos, sus

Si la victoria fuera fácil, usted la habría ganado hace mucho tiempo. Cristo le dará su fortaleza para obtener la victoria. A la vez, usted puede necesitar una estrategia distinta para poner en acción la fortaleza que Él le dará. Deténgase en este momento y ábrale su corazón al Espíritu Santo. Deje que Él le revele lo que debe hacer diferente de lo que ha hecho en el pasado. Luego complete las oraciones siguientes:

Confío en que Cristo me da fortaleza para la victoria sobre cualquier cosa con que todavía estoy luchando en mi vida. Para usar esa fortaleza para obtener la victoria, esto es lo que haré que nunca antes había hecho:

_____

Esto es lo que haré de manera diferente de como lo había hecho antes:

_____

Su compromiso para hoy

DÍA 5:
Un principio básico para escoger

Lea 1 Corintios 10:31; Romanos 14:7-8.

La fe cristiana no es una larga lista de "haz esto o no hagas aquello". Usted debe tener cuidado de los que tratan de darle tales listas.

El proceso es bastante sencillo

En su lugar, la Biblia le da un sencillo principio a seguir para tomar todas las decisiones de su vida. Encontrará ese principio declarado en 1 Corintios 10:31. Lea ese versículo para que descubra el principio. Luego escriba el principio con sus propias palabras.

_____

_____

_____

Las palabras que usó quizás no son exactamente como las que usó otro. Esto es correcto, ya que es su respuesta. Todo lo que dijo es correcto tanto como exprese la idea de que la correcta decisión es aquella que da la mayor gloria a Dios. Ahora, busque algunas páginas hacia atrás en su Biblia y lea Romanos 14:7-8. El Apóstol Pablo escribió esos versículos también como los que leyó en 1 Corintios.

En ambos casos, él estaba considerando actividades que eran dudosas para los cristianos. En ambos casos, él estableció dos puntos con toda claridad.
- Nuestra conducta es una exposición de la vida que ahora tenemos en Cristo.
- Todo lo que hacemos debe darle gloria a Dios.

Ahora, deseo que observe algunas decisiones que tomaron personajes bíblicos y que determine si esas decisiones dieron la mayor gloria a Dios. El libro de Hechos nos dice cómo los primeros cristianos vendieron sus propiedades para que el dinero fuera usado para satisfacer las necesidades de otros cristianos. Lea Hechos 4:32—5:2 para que aprenda acerca de la decisión que tomaron dos personas, Ananías y Safira. Luego marque el cuadro al lado de la elección que piensa hubiera dado la mayor gloria a Dios.

❏ Ananías y Safira tenían razón en su decisión porque eran las propiedades de ellos. Fueron castigados injustamente.

❏ Ananías y Safira debieron darlo todo y no desvirtuar lo que estaban haciendo.

❏ Ananías y Safira hubieran pedido permiso para retener una porción de la ofrenda para satisfacer sus necesidades personales.

Juan 4:4-42 narra la historia de la mujer samaritana que decidió confiar en Jesús y regresar a la ciudad para hablarle a todo el mundo de Él. Lea el pasaje. Luego marque el cuadro al lado de la elección que piensa hubiera dado la mayor gloria a Dios.

❏ La mujer debió reconocer su lugar en la sociedad y consultar a los ancianos de la ciudad antes de tomar una decisión.

❏ La mujer tomó la decisión que le dio la mayor gloria a Dios.

❏ La mujer debió respetar la religión de Jesús, y al mismo tiempo darse cuenta de que cada persona debe determinar la fe que tendrá.

Hechos 10:9-16 habla acerca de la visión de Pedro en la que Dios le mandó a comer de los animales que eran prohibidos comer por su tradición judía. Lea las Escrituras. Luego marque el cuadro al lado de la elección que piensa hubiera dado la mayor gloria a Dios.

❏ Pedro actuó correctamente en su decisión de rechazar comer alimentos inmundos. Por lo que sabía, Dios pudiera haber estado probando su obediencia.

❏ Pedro debió obedecer el mandato de Dios sin vacilación.

❏ Pedro debió pedirle a Dios una explicación de la visión para que pudiera entender qué debía hacer.

Observe las decisiones que ha tomado

Espero que usted marcó la segunda afirmación en cada uno de los ejemplos que acaba de estudiar. Desde el momento en que usted se convirtió a Cristo, se ha enfrentado de forma constante con decisiones acerca de cómo debe comportarse como un cristiano. Elegir responder de una forma que de la manera más clara revele que Cristo vive en usted es

siempre la mejor respuesta. Pero saber cuál decisión es la correcta no es siempre tan fácil.

Piense en una determinación difícil que tuvo que tomar hace poco. De forma breve describa esa decisión (Por ejemplo: Tuve que determinar si aceptaba otra responsabilidad en la iglesia. O tuve que decidir si me inmiscuía en chismorreo con amigos. O tuve que decidir si retenía mi ofrenda ante la presión de los pagos que tenía que hacer).

_____

_____

_____

Ahora, enumere al menos tres opciones que hubiera tenido. Señale en primer lugar la decisión que finalmente tomó.

1._____

2._____

3._____

Vuelva ahora sobre el trabajo que acaba de realizar y señale la opción que hubiera dado la mayor gloria a Dios. Si no puede indicar la decisión que usted hizo, dedique tiempo en este momento para pedir el perdón de Dios y pídale que le indique una forma en que pueda glorificarlo con esa decisión.

Recuerde que Dios es un Padre comprensivo y amoroso que nos ama a pesar de nuestros errores y que desea ayudarnos a emplear nuestros errores para crecer y volvernos cristianos más fuertes. ¿Cuál es la opción o decisión con la que está luchando ahora mismo? Escriba esa opción en la parte superior de la página siguiente.

Su compromiso para hoy

_____

_____

Hable con Dios con respecto a esa lucha. Dígale que en realidad usted desea tomar la decisión que le dará la mayor gloria a Él y pídale que lo ayude a conocer cuál debe ser esa decisión. Cuando sienta que el Cristo que vive en usted le ha dado la respuesta, escríbala aquí:

_____

_____

Usted ya ha aprendido de cuánta ayuda puede ser la Palabra de Dios para tomar decisiones entre lo correcto y lo incorrecto. Pero ahora debe memorizar el Salmo 119:11. Escríbalo aquí:

_____

_____

_____

Los versículos para memorizar que se encuentran impresos al final de su "Sígueme Uno" se tomaron de la Reina-Valera 1960.

Además, para este momento, debe poder escribir lo que debe aparecer en la palma de la mano dibujada en esta página. Escríbalo allí si usted puede. Si necesita ayuda, repase 2 Corintios 5:17. Más importante que escribir las palabras es que finalmente experimente y conozca que la presencia de Cristo está en usted y Él está más en control de su vida que hace una semana.

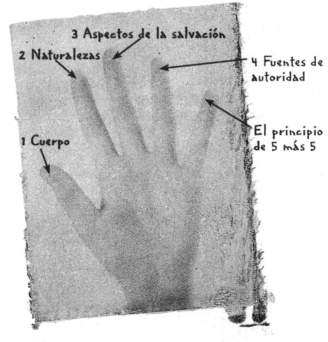

3 Aspectos de la salvación

2 Naturalezas

4 Fuentes de autoridad

El principio de 5 más 5

1 Cuerpo

Una mirada hacia adelante

¿Cómo siente que es su relación con otros creyentes en el compañerismo de su iglesia?

¿Cómo se siente en cuanto a su participación en la vida, el ministerio y la misión de su iglesia?

Aprender a vivir en relación con otros cristianos en el cuerpo de Cristo es un asunto clave para crecer en su vida cristiana.

El tema para la próxima semana es:
1 Cuerpo — Su vida y su servicio

Aprenderá por qué su relación con otros cristianos dentro del cuerpo de Cristo es tan importante para usted. Aprenderá por qué usted y sus amigos cristianos se necesitan mutuamente en el compañerismo del cuerpo de Cristo y verá algunas diferencias que esa relación ya ha hecho en su vida. Además obtendrá un mejor entendimiento de algunas de las responsabilidades que tiene con el cuerpo.

DÍA 1:
Estar en el cuerpo

Lea Romanos 12:4-5; 1 Corintios 12:12-13;
2 Timoteo 1:8-10; 1 Pedro 2:9-10; Efesios 4:1-4.

Su crecimiento espiritual depende de su permanencia en el cuerpo de Cristo. No deben existir cristianos "aislados". Volverse un seguidor de Jesucristo es un acto de compromiso hacia otros que también han prometido seguirlo a Él para siempre.

¿Puede imaginarse a un recién nacido que su familia lo deja solo para que sobreviva por sí mismo? ¡Difícilmente! Los bebés no sobreviven si se les deja solos. Necesitan de constante amor, cuidado y atención. En cuanto a esto, ¿se puede imaginar a miembros de una familia que llegan a una edad en la que no se necesitan unos a otros? ¡Difícilmente! Sin importar la edad, las personas necesitan estar rodeados de familiares y otras personas que tienen que ver con su bienestar.

Necesita estar en el cuerpo

Lo mismo es cierto de su vida espiritual. Usted puede ser un nuevo cristiano, o puede haberlo sido por meses o hasta por años. Sin importar su "edad espiritual", nunca pierde con su edad la necesidad de la familia de Dios para su supervivencia en el mundo y para su continuo crecimiento espiritual.

Romanos 12:4-5 declara una verdad central acerca de la familia de Dios, la iglesia. Esa verdad se puede expresar como si fuera una ecuación. Complete las palabras que faltan a continuación sobre la base de lo que leyó en esos versículos:

M _ _ _ M _ _ _ _ _ _ (o partes) = 1 _ _ _ _

Una verdad central acerca de la iglesia es su unidad. Las Escrituras dicen: "Somos un cuerpo en Cristo". Por lo que debió escribir:

MUCHOS MIEMBROS (O PARTES) = 1 CUERPO

Cuando los asiáticos cuentan sus dedos, comienzan con el dedo pulgar. ¿Puede recordar lo que ya ha aprendido del dibujo de la mano con respecto a las claves para sobrevivir como cristiano?

¿Qué aparece en la palma de la mano?

_____

¿Qué dice el dedo pulgar?

_____

La interacción de significados es interesante. "Cristo vive en usted y lo controla todo", tanto a usted como a cada uno de sus amigos cristianos. Así que todos nosotros juntos formamos el **Cuerpo de Cristo**. Cristo está en nosotros. El dedo pulgar de su mano funciona en coordinación con cada dedo. De la misma manera, la verdad de que

Por qué es importante estar en el cuerpo

somos el cuerpo de Cristo es vital para cada una de las otras verdades que aprenderá. Siempre debe combinar esta primera verdad con las otras para sobrevivir como un cristiano feliz y que se mantiene en crecimiento.

Romanos 12:4-5 es su porción de las Escrituras para memorizar durante esta semana.

Ahora lea 1 Corintios 12:12-13 detenidamente. ¿Cuál de estos dos versículos se parece más a Romanos 12:4-5? De hecho, ese versículo declara las mismas cuatro palabras claves que vio en Romanos 12:4-5. Escriba el número de ese versículo en el margen de este párrafo.

Según 1 Corintios 12:13, ¿cuál fue una de las primeras cosas que el Espíritu Santo hizo por usted cuando se convirtió a Cristo?

_____

En ese versículo, la palabra "bautizado" significa "completamente sumergido". El Espíritu Santo no lo une de forma ligera al borde del cuerpo de Cristo. Él lo puso dentro del cuerpo de Cristo completamente. Tener un crecimiento saludable y natural como cristiano depende de encontrarse profundamente vinculado en el compañerismo de una iglesia. El amor y el alimento que encuentra entre otros cristianos proporciona el clima que necesita para su crecimiento espiritual.

Entender lo que la iglesia es y lo que la vida de la iglesia significa lo ayudará a entender por qué ser parte de ella es tan importante. La palabra iglesia en la traducción de la palabra griega *ekklesia*, (en la época de Jesús) tenía el significado de un grupo de ciudadanos que habían sido llamados aparte para una reunión especial o una asamblea. Ahora, se aplica a la iglesia. Antes de convertirse a Cristo, por lo general usted vivía de la manera que quería y seguía sus propios deseos. Entonces Cristo lo llamó: "¡Sígueme! Sepárate de los que viven conforme a sus deseos personales y conviértete en mi discípulo". Usted lo escuchó y le respondió, como yo lo hice y como cada cristiano también lo escuchó y le respondió. Hemos decidido seguir a Cristo. Somos los "llamados afuera". Somos la iglesia.

Observará las palabras "llamó" y "llamamiento" en cada una de los tres últimos pasajes bíblicos para hoy. Mire a 2 Timoteo 1:8-10.

¿Quién nos llama afuera? _____

¿En quién somos llamados afuera? _____

Ahora vaya a 1 Pedro 2:9-10. Según estos versículos, ¿qué deben los "llamados afuera" estar haciendo?_____

Como los "llamados afuera" debemos proclamar (declarar o anunciar públicamente) a Aquel que nos llamó afuera.

Estar en el cuerpo hace una diferencia en usted

Enumere aquí algunos de los títulos que se emplean en 1 Pedro 2:9-10 para describir a los "llamados afuera":

(Del versículo 9)_____

(Del versículo 9)_____

(Del versículo 9)_____

(Del versículo 9)_____

(Del versículo 10) _____

Porque somos cristianos y parte de la iglesia de Cristo, somos "el pueblo de Dios". Somos "pueblo adquirido por Dios", a quienes Él "llamó de las tinieblas a su luz admirable".

Efesios 4:1-4 describe el carácter de los "llamados afuera". Cristo nos capacita para vivir un nuevo estilo de vida. Enumere aquí algunas de las características de ese nuevo estilo de vida.

_____   _____

_____   _____

¿Cuál de estas características le gustaría que fuera más visible en su vida? Señale esa característica. Este es un pensamiento profundo: Cristo no le **dará** esa característica. Observe que Él **es** esa característica. Cristo es humilde, manso, paciente, amoroso y todas las demás. La forma para hacer visible esa característica en su vida es permitirle a Cristo vivir en usted y controlarlo todo en usted. Entonces, las personas que hoy se encuentren con usted verán esa preciosa parte de la naturaleza de Él porque Cristo está viviendo ahora en usted y lo controla todo.

Ahora mismo, tome tiempo para permitirle al Espíritu Santo que lo guíe a identificar qué ha estado estorbando que esa característica sea evidente en su vida. Quizás un pensamiento, un deseo, un hábito o una característica. Luego rinda el control de ese pensamiento, de ese deseo, de ese hábito o de esa característica al Cristo que vive en usted.

Su compromiso para hoy

¿Se dio cuenta de una frase familiar en Efesios 4:4? Note que "como fuisteis también llamados" se refiere en este versículo a "un cuerpo". Mañana continuará pensando acerca de esta importante idea. Aprenderá más con respecto a la unidad y la vida del cuerpo.

Mientras tanto, debe recortar la tarjeta para memorización para la segunda semana y comenzar a memorizarla. Use la tarjeta de la primera semana para repasar y reafirmar ese versículo.

DÍA 2:
Unidad y vida en el cuerpo

Lea 1 Corintios 12:14-27; Hechos 2:42-47; 4:32-35.

Al leer 1 Corintios 12:14-27, ¿notó algo distinto en la manera en que Pablo escribió? Si no lo notó, lea de nuevo el pasaje para percatarse de esto.

Los miembros del cuerpo se necesitan unos a otros En ocasiones Jesús usó analogías para enseñar las verdades espirituales. Habló de que Él era la vid y nosotros los pámpanos; que Él era el Pastor y nosotros las ovejas. Nos llamó sal y luz, y ciudades asentadas sobre un monte. Este pasaje es una excepción en la mayoría de lo que Pablo escribió.

En este pasaje Pablo enseña una verdad espiritual al comparar a los "llamados afuera" por Cristo con las distintas partes del cuerpo humano. Él usó las distintas partes del cuerpo físico que dependen una de la otra para mostrarnos cómo las "distintas partes" del cuerpo de Cristo se relacionan y dependen una de la otra. Cada parte es única, pero conectada a las otras. El Cristo que vive en usted está presente de la misma manera en la mano, en el pie o en los órganos internos. Cada uno depende de todos los demás. Ninguna parte del cuerpo puede funcionar o sobrevivir separada del resto. La mano no puede moverse en el aire si no está conectada al brazo. No puede haber división de ninguna parte del cuerpo de Cristo. No hay lugar para celos o conflictos entre un miembro del cuerpo y otro. (¿Se puede imaginar a una mano con celos de una oreja o a un pie en conflicto con un ojo?) ¡Cuán poderosa descripción dio Pablo de la vida en el cuerpo de Cristo!

Su crecimiento en la vida cristiana depende de manera directa en que usted está relacionado en el cuerpo de Cristo. Cuando alguno sufre, todos deben tomar parte del dolor. Cuando alguno se regocija, todos deben alegrarse.

Según 1 Corintios 12:18, ¿quién determina el lugar al que pertenece cada miembro del cuerpo?

_____

La mayoría de nosotros habrá sentido a veces el deseo de ser como alguien. Desear tener la capacidad para hacer las cosas como otros miembros de la iglesia hacían o tener las responsabilidades que ellos tenían. ¡Cuidado! A veces esos sentimientos pueden llevarnos a los celos, la envidia y hasta el conflicto. Puede que conozca de ocasiones cuando esa clase de celos, envidia o conflicto han roto la armonía entre los miembros del cuerpo de Cristo. Pero no hay razón para que un miembro esté celoso o envidioso de otro miembro. Dios mismo nos ha puesto a cada uno de nosotros donde Él quiere que estemos.

Dios determina qué parte del cuerpo será cada uno

Ahora lea 1 Corintios 12:25-27 una vez más, de manera lenta y pensando en lo que dice. Aquí hay dos preguntas basadas en estos versículos para que usted las considere.

1. ¿Es el estilo de vida que se describe en estos versículos único de los "llamados afuera", o es común encontrar tal espíritu en los que no creen en Jesucristo? Explique su respuesta aquí:

_____

_____

_____

_____

_____

2. Los misioneros, los diplomáticos y las personas que van a vivir a otros países experimentan lo que se llama "choque cultural" cuando tienen que aprender y ajustarse a formas distintas por completo de pensar, hablar y hacer las cosas. ¿Con qué "choque cultural" tuvo que tratar al volverse parte del cuerpo de Cristo?

_____

_____

_____

Lea Hechos 2:42-47 y Hechos 4:32-35. Esos pasajes sobresaltarán su mente si no entiende el verdadero significado de la iglesia. Esos pasajes bíblicos nos enseñan la vida en comunidad. Lo que expresan es que todos los cristianos vendieron sus pertenencias y unieron los fondos. Con más claridad, la idea expresada en el idioma original es que los cristianos, **de vez en cuando**, vendían una parte de sus propiedades y compartían lo obtenido de ellas por medio de los apóstoles para ayudar en las necesidades de otros cristianos.

Los que tenían más de lo que necesitaban, compartían con el necesitado. Al hacerlo, ellos confiaron en que Dios podría, a cambio, suplir todas las necesidades de ellos en el futuro. Note además, que compartían más que riquezas. Compartían sus propias **vidas** uno con el otro; comían, oraban, estudiaban juntos la Biblia y enseñaban a otros. El compañerismo que usted tiene con otros creyentes es una parte vital de su crecimiento en Cristo. ¡No sea negligente en esto! Identifíquese profundamente dentro de la familia de Dios y desarrolle relaciones con los que son sus nuevos hermanos y hermanas en la familia.

Haga ahora un corto estudio comparativo entre Hechos 2:42-47 y Hechos 4:32-35. Ambos pasajes describen tres aspectos importantes de la iglesia, antes y ahora. Lea los versículos de referencia en la primera línea del diagrama que aparece a continuación. Luego escriba en los espacios en blanco lo que complete la oración resumen. Haga lo mismo en la segunda y tercera línea.

Los miembros del cuerpo comparten unos con otros

HECHOS 2	HECHOS 4	
44	32	Los miembros de la iglesia son _____ en Cristo.
45	34-35	Los miembros de la iglesia deben _____ sus vidas.
42-43	33	Los miembros de la iglesia deben _____ su Señor.

Ahora es el tiempo de comprobación. Observe que el dedo pulgar y la palma de la mano se encuentran en blanco en el dibujo de la mano. Escriba las dos verdades importantes que faltan. Vaya a la página 4 para revisar su trabajo.

Lea Hechos 2:45 una vez más. ¿Qué sería más difícil para **usted**: vender una posesión personal para ayudar a un hermano en Cristo que se encuentra en necesidad o ser el que recibe la ayuda? ¿Por qué?

_____

Su compromiso para hoy

No dude, usted reconoció que esta fue otra pregunta que no tenía una respuesta fácil. Cualquiera que sea lo que usted escribió (o sencillamente lo que pensó) puede indicar las maneras en que necesita pedirle al Señor que lo ayude a crecer espiritualmente en su relación con sus hermanos en Cristo. Ahora, considere esta idea: Hechos 2:46 dice que los primeros cristianos con frecuencia visitaban los hogares unos de los otros. ¿Cómo pudiera usted volverse en un ejemplo para el día de hoy de esa misma conducta?

_____

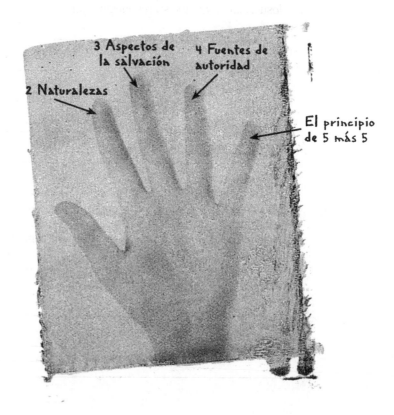

3 Aspectos de la salvación

4 Fuentes de autoridad

2 Naturalezas

El principio de 5 más 5

DÍA 3:
Vivir en amor

Lea 1 Corintios 13:1-13; Efesios 4:11-16.

La más grande realidad de todas

El Capítulo 13 de 1 Corintios es uno de los capítulos más maravillosos de la Biblia, además de ser uno de los más famosos en la literatura mundial. En ese capítulo, se lee acerca de la más grande de todas las realidades. Escriba esa realidad en el espacio en blanco que aparece a continuación:

LA MÁS GRANDE REALIDAD: _____

El amor es la más grande realidad del mundo. Dios es ese amor, y el Cristo que vive en usted para fluir hacia otros. ¡EL CUERPO DE CRISTO EXISTE PARA MANIFESTAR AMOR! Dios lo "llamó afuera" desde su incredulidad para ser cambiado por el amor de Cristo. Cada día desde ese momento, su amor ha estado produciendo que usted se vuelva más semejante a Él.

Ahora observe de manera detenida a 1 Corintios 13. En los primeros tres versículos, ¿cuáles de esas cualidades se describen como menos importantes que el amor? (Señale a cada una que corresponda:
❑ Mucho conocimiento espiritual
❑ Poderes maravillosos para hablar
❑ Estar dispuesto a morir por la verdad
❑ Generosidad hacia el pobre
❑ Fe poderosa

Usted debió marcarlas todas. Aunque estas cualidades son grandes e importantes, ninguna es más grande o más importante que el amor.

Ahora encuentre en 1 Corintios 13:4-7 las muchas cualidades del amor que Pablo menciona. Enumere esas cualidades aquí: *Las cualidades del amor*

_____ _____ _____

_____ _____ _____

_____ _____ _____

Señale la cualidad que piensa que es más evidente en este momento de su vida. Luego subraye la cualidad que le gustaría que fuera más evidente en su vida.

¿Le sorprendería saber que **todas** esas cualidades pueden y deben ser suyas como cristiano? Dios es amor. Esas cualidades del amor se vuelven más y más evidentes en su vida, a medida que usted se entrega al Cristo que vive en usted y el control de Él sobre su vida se vuelva más completo.

En los versículos 8 y 13, Pablo enumera cinco cosas en adición al amor. Marque con una X al lado a las que no permanecerán como el amor. Señale con un ✓ a las que no son tan grandes como el amor.
— Profecía   — Lenguas
— Ciencia   — Fe
— Esperanza

¿Puso una X para indicar que la profecía, las lenguas y la ciencia acabarán? ¿Señaló a la fe y la esperanza, que aunque grandes no son más grandes que el amor? El **amor** es la cosa más grande en el mundo. Por eso Dios quiere que su amor fluya a través de usted hacia otros.

Dios hizo dos cosas cuando usted creyó en Cristo y Cristo se convirtió en su Señor. Él lo añadió a su cuerpo como un **miembro activo**. Y Comenzó a darle capacidades espirituales que se llaman **"dones"**. Piense en los dones del Espíritu como "el lecho de un río" a través de los que el amor de Cristo fluye. Mientras más rápido corre el río, más profundo se hace el cauce. A medida que el amor de Dios fluye por medio de usted, sus dones son más profundos. El propósito de ellos es permitir que más del amor de Cristo fluya a través de usted hacia otros. Usted debe ser un canal del amor de Él hacia otros. Por eso Él le ha dado dones a usted.

Lea 1 Pedro 4:10 y responda a las preguntas siguientes:
¿De dónde procede su don espiritual?

_____

¿Qué debe hacer con su don espiritual?

_____

Lo más importante para recordar acerca de los dones es que son sencillamente **canales** para llevar

el amor de Cristo. Los dones solo tienen valor si usted permite que el amor de Cristo fluya por medio de ellos.

Usted necesita comprender la diferencia entre **dones espirituales** y **talentos**. Un **don espiritual** es una capacidad espiritual que le ha sido dada por Dios. Entonces el Espíritu Santo lo faculta a usted para usar esa capacidad para bien del cuerpo y para cooperar en el funcionamiento del cuerpo de manera que haga la voluntad de Dios. Por otro lado, usted tiene uno o más **talentos**. Ellos son capacidades con las que usted nació y que más tarde descubrió y desarrolló. La capacidad para la música, para trabajar con computadoras, para hablar en público y para cocinar sabrosas y nutritivas comidas son ejemplos de talentos.

Observe que ambas se relacionan y se diferencian en la manera en que los talentos y los dones se pueden usar. Un don espiritual solo se puede usar cuando el Espíritu Santo lo faculta a usted a emplearlo para el bien del cuerpo o para el trabajo del cuerpo. Los talentos se relacionan con los dones cuando se vuelven los medios por los que usted expresa su don espiritual. Por ejemplo, digamos que usted tiene talento para la música. Usted puede usar este talento para expresar una variedad de dones espirituales como son el servicio, el ministerio o la enseñanza. Solo los cristianos han recibido dones espirituales, y esos dones se pueden usar solo para la gloria de Dios. Por otro lado, cualquier persona puede tener cualquier número de talentos

El amor y los dones espirituales

Los dones espirituales y los talentos

y puede usar esos talentos de la manera que escoja; con propósitos egoístas y hasta con propósitos malvados.

Tome tiempo ahora para enumerar los talentos que tiene y que puede usarlos para glorificar a Dios.

_____ _____

_____ _____

Su pasaje bíblico para memorizar en esta semana es Romanos 12:4-5. Trate de escribirlo en el margen de memoria. Luego use su tarjeta de versículos para memorizar y para verificar lo que recuerda.

Observe ahora 1 Corintios 12:4-6. Debe observar que cada uno de estos cortos versículos muestra un contraste o una relación entre algo en que hay diversidad y algo que es lo mismo. Complete este sencillo diagrama para resumir estos tres contrastes.

1 CORINTIOS 12	DIVERSIDAD	EL MISMO
Versículo 4	dones	Espíritu
Versículo 5		
Versículo 6		

- Distintos tipos de dones espirituales (el mismo Espíritu es el que los da).
- Distintas maneras de servir (se sirve al mismo Señor).
- Distintas capacidades para llevar a cabo el servicio (el mismo Dios es el que da la capacidad a cada uno).

Usted continuará estudiando acerca de los dones espirituales mañana, pero permítame repasarle y reafirmarle lo que ha aprendido hoy. ¿**Por qué** el Señor, por medio de su Espíritu, le da dones espirituales? Medite en este momento en Efesios 4:11-16 para encontrar la respuesta. Espero que usted haya usado las sugerencias que le di en la página 9 para meditar.

Tome tiempo ahora para seguir esos pasos. Además, voy a citarle el versículo 16:

"De quien [Cristo] todo el cuerpo, bien concertado y unido entre sí por todas las coyunturas que se ayudan mutuamente, según la actividad propia de cada miembro, recibe su crecimiento para ir edificándose en amor".

Su compromiso para hoy

DÍA 4:
Dones en el cuerpo

Lea Romanos 12:1-8; 1 Pedro 1:13-16.

Cuando usted creyó en Cristo, Dios le dio uno o más dones espirituales para capacitarlo a hacer las cosas. Él desea que usted comience a actuar en seguida como un miembro del cuerpo de Cristo. Algunos de los dones que Dios da se enumeran en el pasaje de Romanos que acaba de leer. Otros se enumeran en Efesios 4:11 y en 1 Corintios 12:4-18, 28-30. ¡Qué impresionante listado! Lo más probable es que no debemos considerar que esta lista tiene la intención de ser completa. Usted ya ha estudiado la mayoría de estos versículos en su "Sígueme Uno". Dedique tiempo en este momento para repasarlos. Al hacerlo, enumere en la parte inferior de la página los dones que Dios pudo haberle dado en el momento de su conversión a Cristo.

Dones espirituales

¿Cuántos de esos dones enumeró en la parte inferior de la página? ¿Señaló el dar y el servir en los listados de dones que repasó? Pienso que probablemente añadiría a ambos en el listado que hizo si aún no lo había hecho. No pudiera decirle de manera definida que usted recibió estos dos dones. Pero pienso que es razonable que Dios le daría a cada nuevo cristiano la capacidad para dar y para servir en alguna forma.

El más eficaz uso de los dones que Dios le da depende del que usted entienda algunas verdades importantes con respecto a los dones espirituales. Observemos estas verdades.

La primera verdad es que **Dios le ha dado dones espirituales.** Tratamos sobre esta verdad en el estudio de ayer.

La segunda verdad es que **Dios añade dones en la medida en que usted madura espiritualmente.** Aunque le dieron dones espirituales en el momento en que recibió a Cristo, usted no obtuvo todos los dones que Dios le daría para siempre. Algunos dones requieren un nivel más alto de madurez espiritual y no son dados hasta que se alcanza ese nivel.

Dios le da los dones que están de acuerdo con la madurez de usted

Si usted es un nuevo cristiano, no se debe preocupar porque no tiene los dones que observa en otros cristianos. Debe concentrarse en su crecimiento cristiano y madurar espiritualmente. Tenga paciencia, confíe en la sabiduría de Dios y en el momento preciso, Él le dará los dones adicionales que necesita para funcionar en el cuerpo de la manera en que Él quiere que usted funcione.

Esto funciona de la manera siguiente: Si usted ha sido un cristiano por varios años, es probable que reconocerá que esta es una descripción de su propia experiencia.

• Usted continúa creciendo como cristiano y madurando espiritualmente.

• Su crecimiento espiritual lo lleva a un nivel de madurez espiritual donde puede asumir más reponsabilidades dentro del cuerpo y llevar a cabo tareas más difíciles.

• Dios lo lleva a asumir la responsabilidad o emprender la tarea, Él le da los dones adicionales en la medida en que usted los necesita.

Si ha sido un cristiano por varios años, es probable que pueda identificar dones adicionales que Dios le ha dado a medida que maduró espiritualmente y estuvo preparado para asumir responsabilidades adicionales en el cuerpo. Si puede identificar dones que Dios le ha dado en adición a otros que Él le dio cuando recibió a Cristo, enumere dos o más de ellos aquí:

_____

_____

_____

La obediencia es una condición para recibir los dones espirituales

La tercera verdad acerca de los dones espirituales es que **un espíritu de obediencia es la clave para recibir los dones.** Lea Romanos 12:1-3 de nuevo para ayudarlo a darse cuenta de lo que la obediencia requiere. Aquí hay cinco palabras claves o frases en esos versículos. Identifíquelas a medida que lee.

sacrificio   **conformado**
transformado   **más alto concepto de sí**
la buena voluntad de Dios

En el pasaje que acaba de leer, dos de esas cinco palabras claves o frases se usan para referirse a lo que no debe hacer si desea obedecer a su Señor. Las otras tres establecen lo que usted debe hacer. Trate ahora de escribir brevemente esas cinco afirmaciones usando las cinco palabras o frases claves.

QUÉ USTED NO DEBE HACER:

_____

_____

QUÉ USTED DEBE HACER:

_____

_____

Ahora use este ejemplo para revisar lo que ha escrito.

QUÉ USTED NO DEBE HACER:
• Conformarse a este mundo.
• No tener más alto concepto de sí que el que debe tener.

QUÉ USTED DEBE HACER:
• Darse a sí mismo en sacrificio vivo.
• Ser transformado (por medio del Cristo que vive en usted).
• Hacer la buena voluntad de Dios.

Primera Pedro 1:13-16 también habla de la obediencia. Lea esos versículos en este momento. En el versícu-lo 14, ¿a qué llama la obediencia a apartarse? Llama a volverme de mis _____

los que eran causados por mi estado anterior de

_____

Usted escribió **"deseos"**. Según el versículo 14, ellos eran causados por su anterior estado de ignorancia.

Ahora usted no está más en ignorancia. El Cristo que vive en usted lo ayuda a conocer la voluntad de Dios. Como miembro del cuerpo de Cristo, la iglesia, está aprendiendo más y más que es lo que Cristo desea que usted sea y haga. La misma palabra clave aparece cuatro veces en 1 Pedro 1:15-16. Encuentre esa palabra clave y escríbala aquí:

_____

¿Por qué ser santo sería importante para el que se le han confiado dones espirituales?

_____

_____

_____

Su compromiso para hoy

¿Puede imaginar lo terrible que sería si alguien tratara de pervertir los dones de Dios usándolos de manera no santa?

Como parte de su hora devocional, medite en Romanos 12:1-3. Recuerde que puede encontrar mis sugerencias para meditar las Escrituras en la página 9. Al meditar, concéntrese en aspectos de su vida en los que está luchando para conformarse de manera obediente a la voluntad de Dios. ¿Puede enumerar las razones por la que está teniendo esa lucha?

_____

_____

_____

¿Está el llamado de Dios a la obediencia poniendo a prueba algunos de sus valores o prioridades? Si es así, enumérelos aquí:

_____

_____

Ahora es el momento para repasar. Hoy es el noveno día en que usted ha estudiado su "Sígueme Uno". Escriba cuántos días en esas dos semanas usted ha tenido su hora devocional en la que incluyó oración y estudio de la Biblia.

_____

Mañana concluirá su estudio de 1 Cuerpo observando al cuerpo de Cristo desde un punto de vista un poco distinto.

DÍA 5:
El cuerpo es un edificio

Lea 1 Pedro 2:1-10; Efesios 2:19-22.

La Biblia usa varias figuras del lenguaje para describir lo que es la iglesia. La verdad que aparece escrita en el dedo pulgar del dibujo de la mano es una de las más importantes figuras del lenguaje que se usa en la Biblia. Recuerde esa verdad y encuentre las palabras que faltan en la oración siguiente.

La iglesia es _____ _____ de Cristo.

Además aprendió un versículo bíblico que habla de que "1 CUERPO" está compuesto de todos aquellos que siguen a Cristo. Complete con las palabras claves que faltan del versículo:

"Porque de la manera que en _____ tenemos muchos _____, pero no todos _____ _____ tienen la misma función, así nosotros, siendo muchos, somos _____ en Cristo" (Romanos 12:4-5).

Revise su tarjeta para la memorización de las Escrituras de ese versículo para estar seguro de que está correcto.

Los dos pasajes que leyó para el estudio de hoy emplean distintas figuras del lenguaje para describir a la iglesia. ¿Puede identificar la diferencia sin seguir adelante? si no, repase los versículos y mire si puede captar la diferencia.

En estos pasajes, los "llamados afuera" se describen como un **edificio** en lugar de un cuerpo. Cristo es "la cabeza del cuerpo que es la iglesia" (Colosenses 1:18). Pero es además la "principal piedra de ángulo" del **edificio** (1 Pedro 2:5-6). Este pasaje nos describe a cada uno como "piedras vivas". Estamos formando parte de la construcción de una "casa espiritual", un "templo santo".

Ajustar las piedras para construir el edificio

Es interesante observar a los constructores construyendo una pared de piedra. Ellos cortan cada piedra, la alisan y le dan forma para un buen acabado con las piedras que la rodean. En esto hay una lección espiritual. Usted no puede crecer como debe si no es parte de la iglesia. EL PROCESO DE FORMACIÓN QUE DIOS HACE DE SU VIDA REQUIERE QUE SEPA RELACIONARSE CON OTRAS PIEDRAS VIVAS. ¡No olvide esto! Tal como los constructores cortan las piedras hasta que ellas se acomodan de forma correcta, Dios corta el carácter de usted. Él lo moldea y le da forma hasta que usted puede ser unido con otras "piedras vivas".

Algunos se han referido a esta obra que su Señor hace en su vida como el "proceso del papel de lija". Él suavemente lo vuelve a formar de una "piedra" propia hasta que usted está preparado para ajustarse perfectamente con las otras "piedras" que forman su "templo". Sin su compañerismo con los otros que también son "piedras vivas", usted no se convertirá en lo que su Señor quiere que sea.

Aquí están varias piedras que tienen bordes ásperos. Lea 1 Pedro 2:1. Según ese versículo, cuáles son algunas de los "bordes ásperos" que nuestro Señor quizás esperaba cortar de nuestra vida cuando vinimos a Él. Escríbalas en las piedras.

Primera Pedro 2:1-10 menciona dos clases de "piedras". Usted, yo y todos los cristianos somos como piedras con bordes ásperos; envidia, hipocresía y todas las otras detracciones que se enumeran en el versículo 1. Pero Jesucristo, nuestro Salvador y Señor libre de

La piedra del ángulo y las piedras del edificio

pecado, es la piedra principal del ángulo "escogida", "preciosa", descrita en el versículo 6.

Pero esta "escogida piedra del ángulo" no puede parecer preciosa o valiosa para los incrédulos. Según 1 Pedro 2:7-8, ¿en qué clase de piedra Cristo se vuelve para los que no creen en Él?

_____

El pensar de Cristo como una "piedra de tropiezo", como una roca que escandaliza a algunos puede parecerle extraño. Pero eso es así cuando ellos lo rechazan como su Salvador.

Ahora observe de nuevo a Efesios 2:19-22. ¿Cuál es el "cemento" que unifica a las "piedras vivas" que forman la iglesia?

_____

¿No es maravilloso saber que usted y sus hermanos en la fe ayudan a formar un edificio en el que Dios el Espíritu Santo mora? ¿Cuán consciente está de que, como un miembro del **cuerpo** (o del **edificio**) de creyentes, en realidad necesita de los otros que son "llamados afuera"?

Use estas líneas para describir de qué manera su relación con otros creyentes le permite crecer en algún aspecto de su vida cristiana:

_____

¿Qué mantiene las piedras unidas?

En este momento piense acerca de algún aspecto de su vida cristiana que necesita desarrollarse y crecer. Identifíquelo aquí:

_____

_____

_____

Su compromiso para hoy

_____

Ahora, después de haber orado y esperar que el Espíritu Santo dirigiera su pensamiento, identifique a dos o más cristianos que pueden apoyarlo y ayudarlo en sus necesidades de crecimiento en esas áreas. Enumere aquí sus nombres:

_____

_____

_____

_____

Planee un tiempo para comunicarse con cada una de las personas que ha enumerado y expréseles su afecto por la manera en que ellos lo están ayudando en su crecimiento espiritual y que oren por motivos específicos, aliento y ayuda.

Habrá memorizado dos pasajes bíblicos. Escríbalos en la parte superior de la siguiente columna.

Salmos 119:11: _____

_____

_____

_____

_____

Repaso de los versículos para memorizar

Romanos 12:4-5: _____

_____

_____

_____

Una mirada hacia atrás

Escriba un corto párrafo en el que explique la afirmación de que la iglesia es un cuerpo.

_____

_____

_____

¿Cuál es su función en el cuerpo?

_____

_____

¿Cómo está usando sus dones para funcionar de manera eficiente como un miembro del cuerpo?

_____

_____

¿De qué manera los dones de otros miembros lo ayudan a crecer como cristiano?

_____

_____

SEMANA 2:
Una mirada hacia adelante

¿Recuerda lo bien que se sintió con su nueva vida cuando se convirtió a Cristo? ¿Recuerda cuán pronto vino Satanás a tratar de usar su vieja naturaleza para hacerlo volver a su vida anterior? Una caída, un pensamiento equivocado. De repente se da cuenta de que está luchando contra cosas que pensaba que al ser salvo serían quitadas de su vida.

Mientras viva, su vieja naturaleza estará en permanente conflicto con su nueva naturaleza. Esta semana aprenderá el secreto para obtener la victoria sobre el conflicto interno con el pecado. Satanás tratará de mostrarle cómo "simular". Tratará de convencerlo de que es mucho más fácil sencillamente aparentar. Pero esto no es victoria. Eso es someterse a la vieja naturaleza. La victoria verdadera se encuentra en rendirse por completo al Cristo que vive en usted. Eso es lo que aprenderá en esta semana.

DÍA 1:
Le pertenece a quien obedece

Lea Romanos 8:10-11; Gálatas 2:20; 5:13-18.

¿Sabía que ahora usted tiene **dos naturalezas** en lugar de una? Desde que nació, usted tuvo una vieja naturaleza. Pero desde el momento en que nació de nuevo, ha tenido además una **nueva naturaleza**. Su vieja naturaleza busca exaltarse a sí misma; su nueva naturaleza busca **encausar el amor de Dios para que fluya por medio de usted.**

Las dos naturalezas tienen distintos propósitos Nunca terminará de aprender todo lo que las Escrituras le enseñarán acerca de estas dos naturalezas. Ya que ha vivido con su vieja naturaleza por bastante tiempo, no necesita aprender de ella primero. En su lugar, comenzaremos esta semana de estudio aprendiendo de **su nueva naturaleza.**

Piense en su vieja naturaleza como si fuera la ley de gravedad. Esta ley está siempre en efecto, atrayéndonos hacia abajo. De esta manera evita que se encuentre volando — o flotando — sobre la superficie de la tierra.

Piense en su nueva naturaleza como la ley que actúa en las alas de un avión, levantándolo de la tierra y permitiendo que se desplace por el aire. Esta ley no siempre está en acción. Depende de que **se den las condiciones.** Mientras que su vieja naturaleza está siempre tratando de empujarlo hacia abajo, su nueva naturaleza solo se pone en acción cuando usted está haciendo las cosas que le permiten a ella funcionar. La nueva naturaleza que actúa en usted hace que el amor de Dios fluya por medio de usted y le asegura la victoria constante sobre el pecado. No obstante, en el momento en que no le permite a su nueva naturaleza actuar en su vida, la vieja naturaleza, como la ley de gravedad, comienza a empujarlo hacia abajo.

Repase sus pasajes bíblicos para leer hoy y observe lo que la Biblia dice acerca de sus dos naturalezas. Note que cierta palabra clave aparece dos veces en los versículos 13 y 14. Usted ya ha estudiado esta palabra más de una vez en su "Sígueme Uno". La palabra expresa como su nueva naturaleza actúa en su vida. Escriba esa palabra dentro del recuadro que dice **Nueva naturaleza.**

Sí, su nueva naturaleza actúa en **amor.** ¡No así su vieja naturaleza! Según Gálatas 5:15, ¿cuáles son algunas evidencias de que la vieja naturaleza está en control? Escríbalas dentro del recuadro que dice **Vieja naturaleza.**

En el versículo 15, Pablo describe a los animales salvajes que se muerden y lastiman unos a otros. Observar a las personas — en especial a cristianos — actuar de esa manera es atroz. Pablo explica en el versículo 17 como puede ocurrir una cosa así:

Nueva naturaleza

Vieja naturaleza

"Porque el deseo de la carne es contra el Espíritu, y el del Espíritu es contra la carne; y estos se oponen entre sí, para que no hagáis lo que quisiereis".

Tome su lápiz y haga dos cambios en el versículo que acabo de citarle. Cambie la frase "la carne" por "su vieja naturaleza". Reemplace la frase "el Espíritu" por "su nueva naturaleza". Lea el versículo con los cambios que le ha hecho en voz alta. ¡Tenga presente esa verdad! Ahora relacionemos esto con algo que ya ha aprendido.

Su propia decisión determina qué naturaleza estará controlando su vida. (Aprenderá más acerca de esto durante esta semana). De modo que **su propia decisión** determina la naturaleza que controlará su vida y a cuál se le impedirá.

Hay una condición que usted debe satisfacer si la ley de la nueva naturaleza es la que controlará su vida. Esta condición se describe en Gálatas 5:16 como:
  • Andar en el Espíritu.

Ahora aprenderemos qué significa esta condición. Pero primero, quiero que escriba con sus propias palabras cómo explicaría esa condición. Más tarde tendrá la posibilidad de cambiar o agregar a lo que ha escrito.

_____

_____

¿Reflejó esto la condición de permitirle al Espíritu dirigir su vida? ¿Se refleja en usted esta condición de dejar que el Espíritu controle su vida?

Gálatas 5:16, 22-23 es parte de los versículos bíblicos para memorizar esta semana. Recorte la tarjeta de la página 125 y comience a memorizarlo.

Antes de que se convirtiera a Cristo, la vieja naturaleza dirigía su vida. Sus pensamientos, sus impulsos, sus deseos y sus acciones expresaban esa naturaleza. Andar en el Espíritu es ser controlado por el Espíritu Santo y permitir que se cumpla la voluntad del Padre, en lugar de los deseos de la carne.

Cuando usted se convierte a Cristo, Él destruye la autoridad de la vieja naturaleza que controlaba su vida. Él le dio una **nueva naturaleza.** El Cristo que vive en usted controla su vida por medio de su Espíritu Santo. La **vieja naturaleza** buscaba exaltarse a sí misma; pero la nueva naturaleza trata de que el amor de Dios fluya por medio de usted.

Lea Romanos 8:10-11. Marque la frase que describe su condición en este momento que Cristo vive en usted.

❑ Estoy vivo.
❑ Puedo llevar una vida sin pecado.
❑ Mi ser está experimentando la vida en Cristo.
❑ Estoy bien con Dios.
❑ Ando por las nubes.

El cambio que produce su nueva naturaleza

Usted debe haber marcado todas las opciones excepto la segunda y la última.

No piense en su nueva naturaleza como **"algo"**. Gálatas 2:20 le dice **Quién** (no "qué") es su nueva naturaleza. Lea ese versículo para descubrirlo. Escriba el nombre de esa persona en el recuadro en el margen que dice Mi nueva naturaleza.

Mi nueva
naturaleza

Cristo vive en usted. ¡Qué maravillosa frase! Y usted vive "en la fe del Hijo de Dios". ¿Qué le diría a alguien que le pide que le explique qué significa vivir "en la fe del Hijo de Dios"? Escriba una oración corta aquí:

———————————————————————

———————————————————————

———————————————————————

Hable con dos amigos creyentes y compare su respuesta con las de ellos.

El Cristo que vive en usted puede controlar su vida solo si se lo permite. Usted mismo debe determinar rendirse por completo a Él. Al tomar esa decisión le pertenece a quien usted elige. Ahora es de Cristo, no de usted mismo.

¿Recuerda que el dedo pulgar en el dibujo de la mano representa el número 1? El dedo pulgar le ayudará a recordar que la primera clave de la que depende su constante crecimiento es **1 Cuerpo** (del que usted es parte y como se relaciona con él) y de la comunión que tiene dentro de él. El dedo índice representa el número 2. ¿Qué verdad ese dedo le ayuda a recordar? Escríbala aquí.

———————————————————————

Jesucristo es su nueva naturaleza. Él vive en usted y le ha dado la **plena presencia** de Dios el Espíritu Santo para que viva en usted. Todo el **poder** de Dios está en usted, porque Cristo es ese poder. Cristo vino para que conozca la victoria que solo es posible por el poder de Dios.

Al vivir hoy, recuerde que le pertenece a quien elige. Escoja la nueva naturaleza de Cristo como su Señor hoy. Observe todo lo que Él puede hacer al canalizar su amor por medio de usted. Ore en este momento y comprométase hoy a que los propósitos de Él sean los suyos.

Su
compromiso
para hoy

DÍA 2:
Controlado por el Cristo que vive en usted

Lea Colosenses 3:1-7; 2 Corintios 4:6-10; 5:14-18.

De nuevo, reconozca que Cristo vive en usted. Cristo mismo es la nueva naturaleza que ha recibido. A menudo, su primer impulso es pedirle a Cristo que le **dé** a su vida cualidades como el amor, el poder, la mansedumbre y la justicia. Él no le **da** esas cualidades; Cristo **es** esas cualidades.

Aquel del que fluyen todas estas características ya vive en usted. Si rinde su vida a su dirección, Él fluirá a través de usted. Ya que la vida de Cristo es la esencia misma de esas cualidades, ellas fluyen en usted de la misma manera que sucede en la vida de Él. Además, se dará cuenta de que Él no le da sencillamente esas cualidades. Él se da **a sí mismo**, la fuente de todas esas cualidades. Mejor que darle un vaso de agua, le ha dado un pozo de agua. En lugar de darle las cualidades que quería, le ha dado **la fuente de esas características**. Esta fuente es Cristo mismo, **su nueva naturaleza.**

Cristo lo llena con su misma presencia

Gálatas 5:22-23 enumera muchas de las características que se nos dan cuando somos llenos por la presencia del Cristo que vive en nosotros. A continuación aparecen tres características de Cristo mencionadas en ese pasaje. Escriba junto a cada palabra otra que signifique lo mismo:

Paciencia: _____

Fe: _____

Templanza: _____

¿Escribió **serenidad, convicción y dominio propio**?

Colosenses 3:1-7 nos dice más acerca de su nueva naturaleza. Lea estos versículos en este momento y luego Colosenses 2:12-13. ¿Qué comparación hace Colosenses 2:12 con el propósito de ilustrar el significado de "habéis resucitado" en Colosenses 3:1?

_____

_____

_____

Por supuesto, no hay palabras específicas que debiera haber usado. Su respuesta debe reflejar la idea de que su bautismo fue símbolo de su vieja vida siendo sepultada con Cristo y que ha resucitado a una nueva vida con Cristo. Recuerde que su bautismo no le dio su nueva naturaleza. Ya tenía a Cristo viviendo en usted en el momento cuando fue bautizado. Su bautismo fue solo una muestra o un símbolo de lo que le sucedió cuando confió en Cristo.

Ahora compare Colosenses 3:3 con los versículos de la Biblia que leyó ayer en su pasaje asignado para memorizar. ¿Cuál de esos versículos es el que más se parece a Colosenses 3:3? Escriba la referencia bíblica en el margen.

¿Escribió **Gálatas 2:20**? ¿Está de acuerdo en que este versículo se encuentra muy relacionado con Colosenses 3:3?

En sus pasajes bíblicos asignados para hoy, Pablo lo invita a que tome una decisión personal como creyente (una vez en Colosenses 3:1, otra en el versículo 2 y una tercera vez en el 5). ¿Cómo su Biblia expresa esas tres decisiones?

Decisiones que debe tomar

Versículo 1: _____

Versículo 2: _____

Versículo 3: _____

La Biblia las indica así:

- Buscad las cosas de arriba, donde está Cristo.
- Poned la mira en las cosas de arriba.
- Haced morir, pues, lo terrenal.

No importa lo que ha madurado como creyente, siempre habrá momentos en los que deseará tomar el control de su nueva naturaleza y usarla para hacer algo que piensa se debiera hacer. Pero recuerde que usted no usa a Cristo, sino que CRISTO LO USA A USTED. Sencillamente usted toma una decisión. Elige dejar que la nueva naturaleza del Cristo que vive en usted controle su espíritu, su mente, sus emociones y su cuerpo. Las órdenes en Colosenses 3:1-7 muestran la parte que le corresponde en la obra de la nueva naturaleza. Solo concéntrese en Cristo. De esa manera Él tendrá la libertad de hacer fluir su amor por medio de usted, de usar el canal de sus dones como canal de su amor hacia donde Él. ¡QUÉ MANERA DE VIVIR!

Hay dos palabras que tienen un significado especial para usted: **CONTROLADOR** y **RECIPIENTE**. En 2 Corintios 5:14-18, el Apóstol Pablo le habla acerca de estas dos ideas y el significado especial que deben tener para usted.

Usted es un recipiente

En la Biblia identificamos la palabra como "constriñe" (versículo 14) que significa "controlar". De acuerdo a este versículo, el controlador de su vida debe ser:

_____

SÍ, EL PAPEL DE CRISTO COMO SU NUEVA NATURALEZA ES QUE ÉL ES SU CONTROLADOR.

Lea 2 Corintios 4:6-10 y observe la figura del lenguaje que describe el papel de usted en relación con su nueva naturaleza. Preste especial atención al versículo 7 y verá que su papel debe ser el de **recipiente**. ¿Qué palabra del versículo 7 describe lo que hay **dentro** del recipiente?

El Cristo que vive en usted es el **tesoro** dentro del recipiente. Y porque Cristo vive en usted, está la victoria en su vida. Lea 2 Corintios 4:8-9 para que observe cómo esa victoria se ilustra en una serie de cuatro contrastes. ¿Cuál de esas victorias le parece necesitar más en su vida hoy mismo? O tal vez hay alguna otra victoria que siente necesita mucho más. Con sus propias palabras complete esta afirmación: La victoria que siento que necesito mucho más en mi vida hoy mismo es:

Cristo es el tesoro que usted contiene

_____

¡No hay duda! Usted recibió una nueva naturaleza cuando se convirtió a Cristo. Usted es un **recipiente** de esa nueva naturaleza. Y esa nueva naturaleza es Cristo. Usted es un recipiente de una **vida** nueva, la **vida** de Cristo.

Usted no se controla más a sí mismo. En su lugar debe ser controlado por la vida de Cristo. Debe darle libertad a Cristo para que lo use a usted. En 2 Corintios 4:7 usted es comparado con un vaso de barro que se usaba en los tiempos bíblicos para preservar un documento de valor. Claro que usted es más que un vaso de barro. Usted es una persona. Dios no le quita su dignidad. Ni se vuelve una marioneta. Más bien, el Cristo que vive en usted — del cual usted es recipiente —, le da la perfección.

¡Segunda Corintios 4:6 es un versículo formidable! La vida de Jesucristo en usted le revela la naturaleza misma de Dios. Usted es el recipiente de Cristo, y

Él es la luz de la misma naturaleza de Dios. Muchas personas han tratado de entender a Dios pero no han podido porque no están dispuestos a ser los **recipientes** de Cristo. Solo las personas que han recibido la nueva naturaleza de Cristo tienen la capacidad de conocer a Dios. No se alarme ni se desconcierte cuando otra persona piense que usted es un "fanático religioso". Recuerde que los que están caminando en la oscuridad no pueden ver lo que solo es evidente en la luz.

Tomando como base lo que ha aprendido hoy, ¿qué compromiso quisiera hacer en su vida hoy?
- Tal vez hay aspectos de su vida que ha tratado de controlar en lugar de dejar que Cristo los controle.
- ¿Hay una decisión consciente de que necesita dejar que Cristo controle su vida hoy?
- Quizás necesita pedir la victoria que Cristo puede darle sobre los sentimientos de derrota espiritual, abandono o destrucción.

Su compromiso para hoy

Ore por el compromiso que hará hoy para su vida. Luego, escríbalo aquí:

_____

_____

45

DÍA 3:
Que Cristo sea su Rey

Lea Gálatas 5:22-25; Romanos 6:12-18; 8:26-28.

Un manzano produce **manzanas**. Pero no puede producir **melocotones** porque su naturaleza es la de un manzano.

Fruto de la nueva naturaleza El fruto de la nueva naturaleza. Su **nueva naturaleza** también produce fruto. Ese fruto se menciona en dos versículos que ya debe saber. Escriba los versículos a continuación:

_____

_____

Use su tarjeta de versículos de memorización para verificar su memorización de Gálatas 5:22-23. Observe que el fruto del Espíritu no es lo que usted **hace**, sino lo que usted **es**. En cada caso el fruto describe el **carácter**, no la **actividad**.

¿Cuál de las nueve partes del fruto del Espíritu le es imposible imitar por su propio esfuerzo? ¿Cuál de estas partes le parece que es la más débil o deficiente en su vida? Señálelas en los versículos que acaba de escribir.

¿Cree que Cristo puede otorgarle **todas** estas cosas a usted? ¡Claro que puede! Dedique un momento a recordar cuándo se convirtió a Cristo. Dios le prometió que si le pedía que le perdonara todos sus pecados, Él lo haría. Se lo pidió y Él lo perdonó.

De la misma manera que Él ha mantenido su **palabra**, puede estar seguro de que también hará la **obra** en su vida. Sin lugar a dudas, usted está consciente que desde su conversión las cualidades que no podía imitar con su propio esfuerzo se están revelando en su vida. La sola presencia de estas cualidades le aseguran que Cristo vive en usted.

Lea Romanos 8:26-28. Según el versículo 26, ¿debe **decirle** a Cristo que usted es espiritualmente débil en cierto aspecto? ¿Por qué sí o por qué no?

_____

_____

Nunca permita que esta vieja y gastada excusa se haga suya: "No oro suficiente porque no sé cómo debo orar". El Espíritu del Cristo que vive en usted le susurrará sus más íntimos pensamientos en silenciosa oración si usted se lo permite. Romanos 8:26 dice: "Y de igual manera el Espíritu nos ayuda en nuestra debilidad; pues qué hemos de pedir como conviene, no lo sabemos, pero el Espíritu mismo intercede por nosotros con gemidos indecibles".

No hay excusas para no producir fruto

46

Romanos 8:27 le da otra seguridad. Escriba la misma palabra dos veces que completa la idea que este versículo transmite. _____ , que escudriña los corazones sabe cuál es la intención del Espíritu, porque corforme a la voluntad de _____ intercede.

Romanos 8:28 establece el **resultado** de su nueva naturaleza en control de su vida. Lea ahora el versículo y luego marque de las afirmaciones siguientes la que sea más correcta:
- ❏ Todo lo que ocurre es para el bien de los que aman a Dios.
- ❏ Dios hace que cualquier cosa que ocurra sea para el bien de los que lo aman.

Debe haber marcado la segunda afirmación. Dios no provoca las cosas malas que suceden en su vida. Ni tampoco deja que solo "las cosas ocurran". Cuando algo malo sucede es porque usted u otra persona actuaron fuera de la voluntad de Dios. Aun cuando acontezcan cosas malas, si usted permite que Dios tome el control activo de su vida, Él obrará en esa situación para que sea finalmente para su bien.

Hay una sencilla decisión que tomar como creyente a cada momento. Debe coronar a Cristo como el Señor de su vida. Cuando lo hace, la naturaleza de Él toma el control y produce el fruto del Espíritu en usted. No debe luchar para "ser como Cristo". Sencillamente **permita que Él sea Él mismo en usted. "CRISTO VIVE EN USTED Y LO CONTROLA TODO".**

La vieja naturaleza aún quiere controlar su vida

Desdichadamente, palabras y hechos indeseables entran en la vida de los creyentes. Tal vez se da cuenta de ejemplos en su vida. ¿Cuántas veces ha oído a las personas disculpar la conducta o la actitud mundana por decir: "En fin, es la naturaleza humana"? Esta excusa no funciona con los cristianos, porque no se supone que están viviendo según su naturaleza humana. Cristo es nuestra nueva naturaleza, y Él cambia nuestras actitudes y nuestras acciones cada día.

No digo que usted no tiene una naturaleza humana. ¡De ninguna manera! Aún está allí como lo estuvo antes de que usted se entregara a Cristo. Lea lo que dice Romanos 6:12-18 con respecto a la vieja naturaleza.

Este pasaje describe el **pecado** como un tipo de rey que tiene poder para gobernarlo. Según el versículo 12, usted determina quién lo gobernará. Ahora observe el versículo 17. De acuerdo con ese versículo, ¿qué le sucede si decide que el pecado sea su gobernador?

_____

¿Quién es este **Rey del pecado** que está en su vida? La manera más fácil de averiguarlo es mirarse a usted mismo. El pecado es un problema del "YO". Cuando elige lo que le agrada al "YO", el pecado reina. El "YO" obedece a las concupiscencias del pecado y los miembros del cuerpo se vuelven "instrumentos de iniquidad" (Romanos 6:12-13).

Usted determina quién reinará

Usted es responsable de su decisión. Si decide permitirle a Cristo reinar, Él que es su nueva naturaleza, producirá su fruto por medio de usted. Si escoge darle su cuerpo al rey del pecado (que en realidad es su propio "YO"), se volverá su **siervo** o **esclavo.** Bajo el control del "YO" solo puede esperar lo que resulta de desobedecer a Dios.

Su vieja naturaleza es su naturaleza humana. Es la naturaleza pecadora que está en usted. No fue destruida cuando se convirtió a Cristo. Sino que, por primera vez, fue **destronada**. Por primera vez, el pecado no tiene poder para controlarlo. . . excepto cuando usted **decide** ser un esclavo de nuevo.

Verifique si comprendió:
¿Quién es la nueva naturaleza en usted?

_____

¿Quién es la vieja naturaleza en usted?

_____

¿Quién decide quién reinará sobre usted?

_____

La Biblia lo expresa de esta manera: "No reine, pues, el pecado en vuestro cuerpo mortal, de modo que lo obedezcáis en sus concupiscencias; ni tampoco presentéis vuestros miembros al pecado como instrumentos de iniquidad, sino presentaos vosotros mismos a Dios como vivos de entre los muertos, y vuestros miembros a Dios como instrumentos de justicia".

No debe permitir que "ninguna parte" suya esté gobernada por el Rey del pecado. Debe dejar que "todo su ser" lo gobierne el Cristo que vive en usted.

Observe cómo Romanos 6:12-13 ilustra la afirmación "Usted es responsable de su decisión" Recuerde que el Rey del pecado está destronado, pero no está muerto. ¿Qué significa Romanos 6:18 cuando expresa que usted es un siervo o esclavo de la justicia? ¿Qué palabra clave aparece cuatro veces (de diferentes maneras) en los versículos 16 y 17?

Obedecerle, obedecéis, obediencia y obedecido, cualquiera que sea la que usó, su significado es muy claro. Usted decide **obedecer** al pecado, su vieja naturaleza, o decide **obedecer** a Cristo, su nueva naturaleza. Usted se vuelve el esclavo de cualquiera de las naturalezas que obedece.

¿Hay aspectos de su vida hoy en los que necesita tomar la decisión consciente de destronar el "YO" y entronizar a Cristo? Dedique unos momentos para meditar y orar. Permítale al Espíritu Santo revelarle los aspectos de su vida en los que necesita hacer a Cristo el Rey. Luego, inclínese ante Él y pídale que el dominio de Jesucristo comience a obrar en esos aspectos en este mismo momento. Exprésele que vivirá de tal manera que muestre que Él es Rey en esos aspectos también.

Su compromiso para hoy

DÍA 4:
No puede ser reformada

Lea Romanos 7:15, 18-25; 8:5-9; Gálatas 5:19-21, 24-25.

En Romanos 7:15, 18-21 se describe a un cristiano que trata de reformar su vieja naturaleza. Resuma la lucha con sus propias palabras.

No una naturaleza reformada, sino una nueva naturaleza

_____

_____

¿Escribió algo así?

"Quiero hacer lo bueno ... pero no puedo".
"No quiero hacer lo malo ... pero lo hago de todas maneras".

¿De qué maneras se identifica su vida con la lucha que acaba de resumir? Dedique tiempo para pensar antes de que escriba su respuesta.

_____

¿Le parece lógico que al vivir Cristo en usted llevaría semejante lucha? Pero la lucha es real debido a que su vieja naturaleza no se puede reformar. Cuando un árbol tiene **raíces** de manzano, sus ramas producen **manzanas**. La naturaleza de la raíz siempre determina la naturaleza del fruto. Su vieja naturaleza aún está tratando de producir la misma clase de fruto que producía antes de que usted creyera en Cristo.

Gálatas 5:22-23 enumera el fruto de la nueva naturaleza. Haga una lista de ese fruto aquí:

_____

_____

Ahora lea Gálatas 5:19-21 y enumere el fruto de la vieja naturaleza.

_____

_____

Cuente el número de actos que se relacionan con la vieja naturaleza que experimentó personalmente **antes** de convertirse a Cristo. Escriba el número en el recuadro llamado "Antes" en el margen. A continuación, cuente el número de ellos que ha experimentado **desde** que se convirtió a Cristo. Escriba el número en el recuadro llamado "Desde". ¿Qué comentario puede hacer al comparar los dos números?

Antes

Desde

_____

No puede
confiar en
la vieja
naturaleza

Muchos creyentes tienden a "confiar" demasiado en su vieja naturaleza. Piensan que al entregar su vida a Cristo, automáticamente se han quitado todo lo que pudiera descarriarlos. ¡Qué equivocación! Se olvidan de que la vieja naturaleza no se puede cambiar, ni tampoco confiar en ella.

Es como la historia de dos ex alcohólicos. Ambos habían dejado el hábito de beber. Pero uno de ellos estaba tan orgulloso de sí mismo que tomó "unas copitas" para demostrar que sabía cuándo parar. Como resultado, volvió a la bebida. El otro sabía muy bien hasta dónde podía confiar en sí mismo; y cuando la tentación de la bebida comenzaba a ser más fuerte, evitaba los lugares y las ocasiones que lo tentaban a beber.

En su opinión, ¿por qué las personas "confían" con tanta facilidad en la vieja naturaleza **después** de que se convierten a Cristo?

Quizás escribió que no tomamos en serio el pecado como debiéramos, o que el pecado usa nuestra tendencia a "confiar" en la vieja naturaleza como una manera de tomar de nuevo el control de nuestra vida. A menudo, los creyentes deben pasar por momentos muy difíciles antes de darse cuenta de que no pueden depositar su confianza en la vieja naturaleza. **El Ego, el Yo y el pecado,** todas estas palabras corresponden a la vieja naturaleza. La vieja naturaleza nunca será diferente, sino que siempre producirá el mismo fruto detestable.

Como la vieja naturaleza no está muerta, hay una guerra interior en usted cada día. Su nueva naturaleza y su vieja naturaleza luchan constantemente una contra la otra. Lea Romanos 7:22-25. Esta es la lucha de un cristiano que no ha tomado la tajante decisión de dejar al Cristo que vive en él ser el Señor de su vida.

Romanos 7:23 menciona un resultado frecuente de esta batalla: el cautiverio. Y Romanos 7:24 ilustra una situación horrible. En la antigüedad los conquistadores tenían una espantosa manera de torturar a los prisioneros. Lo ataban a un cadáver de manera tal que si el prisionero trataba de escapar tenía que llevarse consigo el cadáver.

En el versículo 24 el Apóstol Pablo hace una pregunta que muestra que quizás estaba pensando en esta horrible tortura. ¿Cuál es la pregunta?

Como ganar
la batalla
que hay
dentro
de usted

_____

"¿Quién me librará?" dice Pablo. Romanos 7:25 nos da el **nombre** y el **título** del Único que puede rescatarlo de esa guerra interna. Escríbalos aquí:

Nombre: _____ _____

Título: _____

¿Qué significado tiene este **título** en el objetivo de terminar con una guerra entre sus dos naturalezas?

_____

_____

Si Jesucristo es en realidad su Señor, Él debe controlar su vida. Usted debe reconocer su señorío y rechazar obedecer a su vieja naturaleza humana. Otras expresiones que se usan cuando nos referimos a la vieja naturaleza son: carnal, carnalidad y carne. Recuerde lo que estos términos significan y lea Romanos 8:5-6. Estos dos versículos contrastan dos tipos de vida. Uno es la vida de un cristiano que ha permitido que su **vieja naturaleza lo domine.** El otro es la vida de un cristiano que ha permitido que su **nueva naturaleza lo domine.** Complete este sencillo diagrama para mostrar el contraste.

	LA VIEJA NATURALEZA	LA NUEVA NATURALEZA
Deseos (v. 5)		
Resultados (v. 6)		

Romanos 8:7-8 tiene cuatro frases negativas que describen al cristiano que aún no se ha entregado completamente al señorío de Cristo. Complete esas frases que describen a ese tipo de persona.

- Está _____ con Dios.
- No se _____ a la _____ de Dios. Sus acciones son _____ a la ley de Dios.
- No puede _____ a la _____ de Dios. Es

_____ de obedecer la _____ de Dios.

- No puede _____ a Dios.

Sus respuestas serían algo así.

- Está enemistado con Dios.
- No se sujeta a la leyes de Dios. Sus acciones son desobediencia a la ley de Dios.
- No puede someterse a la ley de Dios. Es incapaz de obedecer la ley de Dios.
- No puede agradar a Dios.

¿A qué conclusiones llegó sobre su propia vida después de estudiar Romanos 8:5-8?

_____

Romanos 8:9 dice que el Espíritu de Dios **mora** en usted. La palabra "morar" significa **"residir permanentemente".** ¿Hay algún momento o aspecto de su vida en el que Cristo no reina como su Señor? Trate de explicar su respuesta a continuación.

_____

Su compromiso para hoy

Quizás le fue difícil escribir sus respuestas a estas dos últimas preguntas. **Recuerde:** Aún cuando no pueda expresar sus pensamientos con palabras, puede **orar** acerca de ellos. El Espíritu de Cristo que vive en usted entenderá sus sentimientos y se los expresará a Dios en lugar suyo. Para terminar su hora devocional hoy, medite en esas dos preguntas de reflexión y ore.

DÍA 5:
Victoria mediante una entrega completa

Lea Efesios 4:22-24; Mateo 5:21-22,27-28; Filipenses 4:7-8; Romanos 8:37-39; 6:1-11.

Debe dejar su vieja naturaleza por la nueva

En Efesios 4:22 Pablo se refiere a una decisión deliberada que los cristianos toman de **dejar** o **despojarse** de la vieja naturaleza. La ilustración es la de una persona que después de haber usado una muda de ropa durante mucho tiempo, en un **acto intencional** se la quita y las pone a un lado para no volverlas a usar jamás.

Esa clase de decisión pone fin a la **guerra** que vive internamente. La vieja naturaleza aún está activa y viva. Sin embargo, no tiene ningún poder porque usted ha decidido **despojarse** de ella. Al decidir comprometerse de manera permanente con Jesucristo, permite que todo el poder de Él actúe en usted.

Cómo hacerlo

En Efesios 4:23 Pablo se refiere a su mente como siendo **renovada**. Jesús también hizo una interesante comparación entre nuestros pensamientos y nuestras acciones. Lea lo que Él dijo en Mateo 5:21-22, 27-28. Según Jesús, ¿dónde comienza cada acción?

_____

¿Respondió algo así como "**en la mente**" o "**con un pensamiento**"? En su opinión, ¿qué puede hacer para lograr la **renovación** de su mente? Pablo da un buen consejo en Filipenses 4:7-8. Resuma esos versículos aquí:

_____

Este es el consejo que Pablo nos dejó en las Escrituras: "Y la paz de Dios, que sobrepasa todo entendimiento, guardará vuestros corazones y vuestros pensamientos en Cristo Jesús. Por lo demás, hermanos, todo lo que es verdadero, todo lo honesto, todo lo justo, todo lo puro, todo lo amable, todo lo que es de buen nombre; si hay virtud alguna, si algo digno de alabanza, en esto pensad" (Filipenses 4:7-8). ¿Incluyó su resumen todas estas ideas?

Lea Romanos 8:37. Descubra lo que Cristo le dará cuando lo haga el Señor y Maestro de su vida. ¿Qué clase de victoria experimentará, o qué clase de conquistador será?

_____

Romanos 8:38-39 continúa el mismo pensamiento con la afirmación de que nada ni nadie en el mundo podrá separarlo del amor de Dios que es en Cristo Jesús, su Señor. Observe con atención el versículo 38 cuando dice que nada en la **vida** puede separarlo de Cristo. Puede sentir a veces que las **situaciones de la vida** son sus más grandes obstáculos al tratar de vivir en la nueva naturaleza. Cristo es victorioso en **todas** las situaciones a las que se enfrente. Necesita solo invitarlo a que sea parte de ellas y permitirle que su gran poder obre en ellas. Ese es el propósito de la oración.

El Apóstol Pablo deja bien en claro que no es excusa que un cristiano viva bajo el control de su vieja naturaleza. Lea Romanos 6:1-2. ¿Qué pregunta sin respuesta hizo Pablo en el versículo 2?

Debe hacer morir su vieja naturaleza

_____

En Romanos 6:3-5, Pablo explica que el bautismo es una confesión pública de algo que **ya** ha ocurrido en su vida ¿Cuál es esa confesión?

_____

En el bautismo usted confiesa que su vieja naturaleza pecaminosa ha muerto y que ha resucitado a una nueva vida con Cristo. Según Romanos 6:6-7, ¿qué ha sucedido para que sea libre del poder de la vieja naturaleza?

_____

Pablo dijo que la vieja naturaleza de usted fue **crucificada con Cristo**. ¿Cómo explicó Pablo la vida cristiana de usted en Romanos 6:8-11?

_____

Pablo nos da la clave para vivir bajo el control de la **nueva naturaleza**. Lea Romanos 6:12-13 y explique esa clave con sus propias palabras.

_____

_____

Usted no puede "simular" la vida de Cristo al tratar de hacer que su vieja naturaleza se comporte de manera diferente. MÁS BIEN, USTED DEBE CONSTANTEMENTE DECIDIR EN CONTRA DE SU VIEJA NATURALEZA. Tratar de **ser como Cristo** es sencillamente imposible. En lugar de esto, usted debe permitirle a Jesucristo ser el Rey de su vida. Debe darle el derecho de guiar sus pensamientos y de controlar sus acciones. Cuando hace eso, usted resuelve definitivamente el hecho de que Él vino a su vida para ser su Señor, **el Único a quien pertenece**.

Ser cristiano no es solo **hacer algo**. Es primordialmente **tener a Alguien**. Cristo está **en** usted. Él es su nueva naturaleza. Cuando escoja deliberadamente permitirle ser el líder de su vida — de sus palabras, de sus hábitos, de sus pensamientos, de **todo** lo suyo _____, Él será el Rey residente en su ser. Los dones espirituales que Él le dará, fluirán a través de su vida. Conocerá que la vida que ahora lleva no es la suya, sino la de Jesús.

Debe llenarse de su nueva naturaleza

Piense en esto. Imagínese que quiere ser un gran jugador de fútbol, aunque no tiene las cualidades innatas para eso. Sin embargo, usted trata de hacer lo mejor que puede, pero esto no es suficiente. A pesar de que dio lo mejor, sabe que ha fallado.

Luego, desde el banquillo, un hombre se le acerca y se presenta. ¡Usted se emociona! Este hombre es uno de los jugadores más famosos de todos los tiempos. Él le ofrece algo extraño. Él le explica que tiene el poder para sacar la fortaleza de su propio cuerpo y ponerla dentro de usted. También le ofrece pasarle su conocimiento del juego y toda la pericia que ha desarrollado.

Usted acepta la oferta. En un momento se encuentra de nuevo en el campo de juego. Ahora sus pases son más precisos y corre con más velocidad de la que nunca había soñado. Su mente recorre las jugadas; las recuerda a cada una. La multitud lo aclama. Usted juega como todo un profesional. SIN EMBARGO, EN SU CORAZÓN, SABE POR QUÉ ESTÁ JUGANDO COMO UN PROFESIONAL. Usted tiene el poder, la pericia, el conocimiento y la fortaleza del más famoso de los jugadores de todos los tiempos implantados en su vida. La humildad invade su corazón. Aunque otros lo aplauden, usted conoce la verdadera fuente de donde provienen sus acciones.

Cristo hará exactamente lo mismo con usted **por el resto de su vida**. Usted le pertenece a quien decidió pertenecer. Corona a Cristo como Señor de la vida de usted, hoy, mañana y para siempre. Cristo le garantiza una **victoria total**.

¿Qué situaciones lo están derrotando en el campo de juego de su vida? Imagínese que en un descanso del juego el entrenador lo llama para preguntarle qué es lo que está funcionando mal. Escriba su respuesta.

_____

_____

_____

Entonces el entrenador le dice: "¿No se da cuenta que nada de esto pasaría si usted siguiera las instrucciones de **mi** plan de juego, en lugar de hacer lo que quiere? Escúcheme y le diré una vez más lo que necesita hacer de una manera diferente para evitar que sus oponentes lo derroten".

Piense en las cosas que enumeró. Tome unos momentos para orar y meditar. Deje que Cristo, su Entrenador, le diga lo que necesita hacer para seguir **su** plan de juego hoy y lograr la **victoria**. Escriba el plan de juego que seguirá hoy.

_____

_____

Ahora, ore y ríndale su vida al Entrenador hoy. Él quiere jugar su plan de juego a través de usted.

Su compromiso para hoy

SEMANA 2:
Una mirada hacia atrás

Esta semana aprendió acerca del constante conflicto entre la vieja y la nueva naturaleza en su vida. Además aprendió el secreto conocido que le asegura que la nueva naturaleza tenga la victoria sobre la vieja.

¿Qué es la vieja naturaleza?

_____

¿Quién es su nueva naturaleza?

_____

Describa de forma breve el propósito que trata de cumplir la vieja naturaleza en su vida.

_____

_____

Describa de forma breve el propósito que trata de cumplir la nueva naturaleza en su vida.

_____

¿Qué relación tiene la frase "le pertenece al que usted escoja" con su conflicto interno con el pecado?

_____

¿De qué manera el fruto de la nueva naturaleza cambió su manera de tomar decisiones y cómo se relaciona usted con los demás?

_____

SEMANA 3:
Una mirada hacia adelante

La semana pasada aprendió acerca de la manera en que la vieja naturaleza está aún en usted, y cómo Satanás usa esa vieja naturaleza para tratar de neutralizar su vida espiritual. Satanás usa ese constante conflicto para abrumarlo con dudas acerca de su relación con Cristo. Hasta puede haberse preguntado: "¿Soy realmente salvo?

Otro asunto clave que debe aprender a dominar es la duda que puede tener con respecto a su experiencia de salvación.

El tema para esta semana es:
3 Aspectos de la salvación

Observará que convertirse a Cristo es solo el punto de partida de un proceso que continuará a través de su vida. Su triunfo final sobre el pecado en su vida no lo obtendrá hasta que Cristo le dé su herencia cuando Él regrese.

DÍA 1:
Tres aspectos de un evento

Lea Filipenses 1:3-11.

Tal vez cuando recibió a Cristo como su Señor y Salvador pensó que una sencilla oración de entrega le daría **todo** lo que Cristo tenía para ofrecerle. En realidad, ¡estaba en lo cierto!

La salvación: pasado, presente y futuro

En ese momento llegó a ser un hijo de Dios, perdonado, libre y Cristo vino a morar en usted. Eso ocurrió en el pasado. En ese mismo momento, también recibió de Dios algunos **derechos**, y recibió una **herencia**. Esos derechos son suyos y los puede reclamar en el **presente**. La herencia la recibirá en el **futuro**.

La salvación, por lo tanto, se le da en tres etapas: en el **pasado**, en el **presente** y en el **futuro**. El Apóstol Pablo sabía esto y se lo explicó a sus amigos cristianos de Filipos. Usted acaba de leer lo que él les escribió en Filipenses 1:3-11.

¿Qué hacía Pablo cada vez que recordaba a sus amigos cristianos de Filipos? (versículo 3).

_____

_____

Cuando Pablo le **dio gracias a Dios** por los cristianos filipenses, ¿qué emoción sintió mientras oraba? (versículo 4).

_____

Cuando Pablo oraba con **gozo,** ¿por qué agradecía a Dios por estos amigos cristianos? (versículo 5).

_____

Debido a que los filipenses habían sido los **socios** de Pablo (los **ayudantes** o **compañeros** de trabajo) en la propagación del evangelio, ¿dónde dijo Pablo que los tenía? (versículo 7).

_____

Los sentimientos de amor y afecto **de su corazón** eran muy fuertes, ¿con el amor y afecto de quién los comparó? (versículo 8).

_____

Porque Pablo sintió un **afecto** por los cristianos filipenses semejante al amor de **Cristo**, quiso asegurarse de que entendían los **tres aspectos de la salvación**. Ningún otro versículo en las Escrituras resume mejor estos aspectos que Filipenses 1:6. Este versículo es su pasaje bíblico para memorizar en esta semana. Recorte la tarjeta para memorizar de la página 125 y comience a memorizarlo.

Otra manera de verlo

El cuadro a continuación muestra otra manera de ver el significado de Filipenses 1:6. La columna del medio representa **un proceso de tiempo**. Cada una de las columnas laterales representan **un evento**. Use su Biblia para completar la segunda línea del cuadro. En cada columna escriba las palabras de Filipenses 1:6 que corresponden a los tres aspectos de la salvación: **pasado, presente y futuro**.

Ana le comentó a Tomás, que había sido cristiano por muchos años, "la conversión es el fin de la salvación". Tomás no entendió que Ana estaba usando la palabra "fin" para dar a entender la **meta**, el **resultado** o el **objetivo** de la salvación. Él con fuerte desagrado dijo: "¿El fin? Ella debe de ser **el comienzo del fin**".

El cuadro que usted completó muestra lo que Tomás quiso decir. Cuando recibió a Cristo como su Señor, estaba en **el punto de partida** de su vida cristiana. ¡Había mucho más y todavía lo hay!

CUADRO EL PUNTO DE PARTIDA	UN PROCESO DE TIEMPO	EL EVENTO FINAL
"El que comenzó en vosotros la buena obra"	"la perfeccionará"	"hasta el día de Jesucristo"
"_____ _____ _____ _____"	"_____ _____"	"_____ _____ _____ _____"
Libre de la **pena** del pecado	Libre del **poder** del pecado	Libre de la **presencia** del pecado
Limpio por la sangre de Cristo	Liberado por la **presencia de Cristo** en su vida	La entrega de su herencia en la **segunda venida** de Cristo

Usted sabe que es un hijo de Dios. ¿Pero sabe todo lo que Cristo le tiene reservado? Ya posee la salvación, pero saber lo que posee le ayudará a disfrutarla.

Repaso

Ahora revise el dibujo de la mano en esta página. Trate de completar toda la información que le falta.

La verdad o principio central que permite que las otras cosas funcionen se debe escribir en la palma. **Cristo vive en usted y lo controla todo** lo sitúa en una nueva relación al convertirse usted a Cristo. Usted debiera escribir este principio en la palma de la mano.

El pulgar debe recordarle que somos **1 Cuerpo** en Cristo. Sin embargo, el hecho de estar en el cuerpo no significa que su vida cristiana estará libre de las luchas con la tentación. Por eso estudió acerca del principio de las **2 Naturalezas**. Usted debiera escribir ese principio en el dedo índice. Ahora escriba el tema para esta semana en el dedo del medio.

¿Qué le ha provisto su salvación a su vida diaria desde que se convirtió a Cristo? Aún si es cristiano hace apenas unos días, podrá hacer una lista. Cuanto más tiempo hace que es creyente, más larga debe ser su lista. Enumere algunas de las cosas que vienen a su mente.

_____

_____

Emplee los pasos que aprendió en la página 4 al meditar en el pasaje de Filipenses 1:9-11. Identifique al menos una enseñanza o ejemplo que debe seguir y prométale a Dios que lo seguirá en su vida hoy.

Su compromiso para hoy

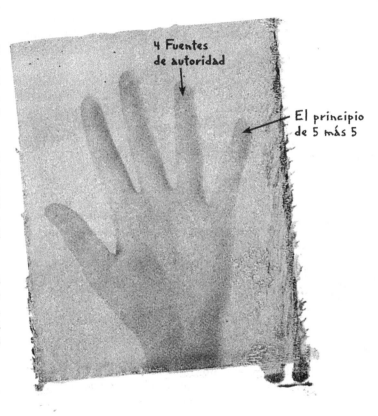

4 Fuentes de autoridad

El principio de 5 más 5

DÍA 2:
El evento inicial

Lea Efesios 1:12-13; 2:3-6, 8-10, 12-13, 17-19.

Todos los versículos bíblicos en el estudio de hoy se refieren a **la salvación en el pasado**: a ese momento en que usted le pidió a Cristo que entrara en su vida para ser Señor y Salvador. Según los versículos que acaba de leer en Efesios 2, ¿qué hizo Dios en ese momento? El versículo 5 lo dice de dos maneras. Escríbalas a continuación:

La salvación: pasado, presente y futuro

1. _____

2. _____

¿Lo que escribió refleja la idea de que **Dios le dio la vida juntamente con Cristo**, y que **lo salvó por gracia**? El versículo 6 nos da dos descripciones más de lo que Dios hizo en ese momento. Escríbalas a continuación:

1. _____

2. _____

Dios lo resucitó con Cristo, y lo hizo sentar con Él en los lugares celestiales. ¿Qué significan las palabras "**nos**" y "**nosotros**" en los versículos 5 y 6? Efesios 2:19 le dará una pista. ¿Recuerda lo que estudió en la Semana 1? ¿De qué debe acordarse cuando vea el dedo pulgar en el dibujo de la mano?

Según Efesios 2:8-9, ¿qué hizo usted para merecer el perdón de Dios por medio de Cristo?

_____

Espero que haya entendido Efesios 2:8-9 con bastante claridad que escribió **nada** en el espacio en blanco. Ahora lea Efesios 2:12-13. ¿Qué quiere dar a entender la Biblia cuando dice que "en otro tiempo **estabais lejos**, [pero] **habéis sido hechos cercanos** por la sangre de Cristo"? Efesios 2:17-18 aclara el asunto. ¿A quién le dio acceso **inmediato** y **permanente** desde el momento en que confió en Cristo?

La salvación abre el camino hacia Dios

_____

Usted tiene acceso a **Dios el Padre** por medio de Cristo. Ahora revise Efesios 2:3, 5, 12, 17. ¿Cuál era su **condición** hasta el momento en que Cristo lo liberó de la pena del pecado? Observe cuántas de las características de su vida antes de Cristo puede enumerar a continuación.

_____

Efesios 2 enumera algunas de las características que quizás escribió. Al lado de cada una, escriba el número del versículo en el que se menciona.

Haciendo la voluntad de la carne (v. __)
sin Dios (v. __)
lejos [de Dios] (v. __)   muertos (v. __)
sin esperanza (v. __)   sin Cristo (v. __)

(Si necesita verificar sus respuestas, use el recuadro que aparece al final de este día de estudio).

Nunca dejará de estar asombrado de lo que Cristo hizo en usted en aquel inigualable momento cuando usted oró y le pidió a Él que entrara a su vida. Él lo sacó de un mundo en el que el **YO** normaba todas las decisiones de usted. En un instante, Él le perdonó todos sus pecados y sus actos equivocados que siempre había hecho. Cristo puso **su propia vida** dentro de la suya y comenzó a considerar su existencia como una parte de su reino. **En un instante**, quedó libre para siempre de la preocupación de que al final de la vida, usted fuera separado de Dios. Esas cosas son satisfechas para siempre. Nada puede quitarle la nueva vida que recibió por medio de Cristo. ¡Usted es de Él para **siempre**!

En Efesios 1:12-13 Pablo llamó la atención a una interesante figura del lenguaje de su época. En los tiempos bíblicos un propietario usaba a menudo un sello o cuño con su propia firma grabada para indicar su propiedad. Para marcar como de su propiedad, él debía imprimir el sello o cuño en algo blando, como la cera o el barro, y luego lo colocaba en su propiedad. A veces el sello o cuño se montaba en un anillo que el propietario usaba.

Usted es propiedad de Dios

La Biblia dice: "a fin de que nosotros, que ya hemos puesto nuestra esperanza en Cristo, seamos para alabanza de su gloria. En él también ustedes, cuando oyeron el mensaje de la verdad, el evangelio que les trajo la salvación, y lo creyeron, fueron marcados con el sello que es el Espíritu Santo prometido" (Efesios 1:12-13) ¿Quién es **el sello** de Dios en usted? Escríbalo en el margen. El Espíritu Santo es el sello de Dios en usted para probar que es de Él.

Completaremos una gráfica parecida a la de ayer. Use Efesios 2:8-10 para completar los espacios en blanco de la página 62.

Mientras completaba la gráfica, ¿se dio cuenta de que Efesios 2:8-10 se refiere a dos de los tres aspectos de la salvación? La columna titulada "CÓMO ES SALVO" habla de la **salvación en el pasado**, el momento cuando por gracia por medio de la fe recibió el don de Dios, y se volvió en un nuevo producto de la destreza de Dios. La columna titulada "POR QUÉ" trata de la **salvación en el presente**, de cómo Cristo vive en usted y lo controla todo, produciendo que usted haga las buenas obras para las que fue creado.

Cómo y por qué fue salvo

Quiero que medite en un pasaje de las Escrituras para concluir su hora devocional. Creo que a estas alturas estará familiarizado con las preguntas usadas. Trate de escribirlas de memoria en la parte superior de la próxima página.

1. _____

61

2. _____

3. _____

4. _____

Si necesita revisar sus respuestas, vea la página 9. Si tuvo que verificar sus respuestas, me temo que el meditar en las Escrituras no es todavía una parte regular de su hora devocional diaria. Si estoy en lo cierto, deseo alentarlo a que se decida a incluir este elemento esencial en su hora devocional diaria. El meditar en las Escrituras es una de las maneras primordiales en que Dios puede hablarle a través de su Palabra.

Ahora concluya su hora devocional meditando en Efesios 2:8-10. Ore para que Dios le revele su voluntad para que la siga en su vida hoy. Luego comprométase a seguir el liderazgo de Él.

Su compromiso para hoy

Respuestas al ejercicio de la página 61.
Haciendo la voluntad de la carne (v. 3); sin Dios (v. 12); lejos [de Dios] (v. 17); muertos (v. 5); sin esperanza (v. 12); sin Cristo (v. 12).

CÓMO ES SALVO	"Porque por _____ sois salvos por medio de la _____". "...es _____ de Dios" "...somos _____ suya"
POR QUÉ	"...creados en Cristo Jesús _____"
CÓMO *NO* SALVO	"...y esto no de _____ , pues es _____" "...no por_____"
POR QUÉ NO	"...para que nadie se _____"

DÍA 3:
La continuación del proceso
(primera parte)

Lea Romanos 5:6-11; 6:17-18; Hebreos 2:14-15,18; 4:14-16.

¿Qué clase de perdón es el que no le da libertad?

Libre de la influencia y el control del pecado

El director de la cárcel le dijo al prisionero: "Le traigo buenas noticias, el gobernador le ha dado el perdón". El asombrado prisionero preguntó cuándo sería dejado en libertad. El carcelero le contestó: "Nada de eso. No podemos darle la libertad a hombres como usted. Debe permanecer en su celda hasta que cumpla su sentencia".

En el momento en que le pedió a Cristo que lo perdonara y confió en Él como su Salvador, Cristo lo perdonó liberándolo de la **condenación** y la **pena** del pecado. Esa es la salvación en el pasado que estudió ayer. Al mismo tiempo que Cristo lo perdonó y lo salvó, Él puso a su disposición su poder para librarlo de la **influencia** y el **control** que el pecado tiene sobre su vida. No sólo Cristo lo ha perdonado, sino que además le ha abierto la celda donde la vieja naturaleza lo tenía cautivo y controlaba sus pensamientos y sus acciones. Esa es la **salvación en el presente**.

Veamos como Romanos 5:6-11 describe los tres aspectos de la salvación, en especial la salvación en el presente. Observe Romanos 5:6-8. ¿De qué aspecto de la salvación hablan estos versículos?

Pasado   Presente   Futuro

¿Qué aspecto cambia Pablo en la última parte del versículo 9?

Pasado   Presente   Futuro

Los versículos 6 al 8 hablan de la **salvación en el pasado**. En la mitad del versículo 9, Pablo cambia a la **salvación en el futuro**. Él finaliza el versículo 10 con una clara referencia a la **salvación en el presente**. La muerte de Cristo es el fundamento de la salvación en el pasado. ¿Cuál es el fundamento de la salvación en el presente?

_____

Use a Romanos 5:10 para completar la siguiente oración.

Por la **muerte de Cristo**, recibí la salvación en el pasado. Ahora, a través de _____. Yo recibo cada día la **salvación** por _____.

La salvación en el presente es Cristo que vive en usted

Por medio de la **vida de Cristo,** cada día usted recibe la **salvación en el presente**. La lectura de Romanos 5:10 debe recordarle la de Gálatas 2:20 que estudió la semana pasada en el Día 1 con

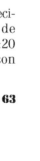

respecto a su nueva naturaleza. Tome tiempo para revisar lo aprendido. ¿Qué pensamientos similares observa en estos dos versículos?

_____

Debe haber expresado la idea de que Romanos 5:10 dice que usted es salvo por la vida de Cristo. Gálatas 2:20 dice que Cristo vive en usted y ahora usted vive por la fe en Él.

Examinemos las tres importantes verdades que ya ha aprendido y observe cómo se relacionan con la **salvación en el presente**, su continuación en el proceso de la vida cristiana.

- Satanás siempre tratará de detener sus esfuerzos por crecer y servir a su nuevo Maestro.
- Cuando se convirtió a Cristo, su vieja naturaleza no dejó de existir. Es más, Satanás continúa valiéndose de ella para luchar en contra de su nueva naturaleza. Esa lucha es la intención de él de que el pecado entre en su vida y lo derrote.
- La clave es que se rinda al Cristo que vive en usted. Cuando Él controla su vida, le da victoria diaria sobre los intentos de Satanás de usar su vieja naturaleza para derrotarlo a usted. Esta victoria diaria es la salvación en el presente.

Lea de nuevo Romanos 6:12-18, uno de los pasajes que estudió la semana pasada. Compruebe que todas las siguientes afirmaciones a continuación se sustentan en el pasaje bíblico.

❏ Los cristianos deben tratar de llevar vidas que sean consecuentes con el ejemplo y las enseñanzas de Cristo.

❏ Cristo ha quebrantado el poder del pecado para dominar y controlar la vida de usted.

❏ La decisión de quién controlará sus pensamientos y sus acciones depende de usted.

❏ Si no deja que Cristo controle su vida significa que no es cristiano.

Debe haber marcado todas las afirmaciones excepto la última. El énfasis de Romanos 6 es que cuando nos volvemos siervos (esclavos) de Cristo, Él se hace cargo de la situación. Nuestro nuevo Maestro quiere que llevemos vidas en completa santidad. Cada día que permitimos que nos controle, Él nos libera del poder y el dominio de la vieja naturaleza.

Hebreos 4:14-16 presenta a Jesús de una manera en que el pueblo judío podía entenderlo con facilidad. En la religión judía el sumo sacerdote entraba al santuario y ofrecía sacrificios para perdón de sus pecados. ¿Qué clase de sumo sacerdote es Jesús y dónde se ha marchado según este pasaje?

_____

Jesús es nuestro **gran** Sumo Sacerdote que ha traspasado los cielos y está en la presencia de Dios. De acuerdo con el versículo 15, ¿cómo se siente Jesús con respecto a las tentaciones que usted enfrenta y **por qué** Él se siente así?

_____

¿En realidad Cristo lo entiende?

Jesús se **compadece** de usted. A Él **lo afectan las debilidades de usted** porque Él mismo fue tentado en todo lo que usted es tentado (versículo 15). Sin embargo, observe la diferencia crucial entre Él y cualquier persona. **Jesucristo no pecó** (versículo 15).

Según Hebreos 4:16. ¿qué puede hacer usted gracias a la compasión y comprensión de Jesús?

Qué puede hacer porque Él lo comprende

_____

Usted puede dirigirse al Padre confiadamente y sin temor para pedirle que le dé la fortaleza que necesita para resistir la tentación. Ahora lea Hebreos 2:14-15,18. Según la primera parte del versículo 14, ¿qué hizo que Jesús lo pudiera entender perfectamente?

_____

Jesús **fue hombre**. Tuvo la misma **carne y sangre** que usted. ¿Hasta qué punto llegó Jesús para experimentar personalmente cada una de las cosas que usted debe soportar? La respuesta está en la novena palabra del versículo 14. ¿Qué hizo Jesús?

Por qué Cristo lo entiende

_____

Además de volverse carne y sangre y de soportar lo que usted puede haber soportado en la vida, Jesús también experimentó la **muerte**.

Por lo tanto, no hay nada que pueda pasar en su vida que Jesús no haya enfrentado.

Ahora lea Hebreos 2:14-15. Ni el poder de la muerte, ni el temor a la muerte pueden dominarlo porque Cristo vive en usted. Alguien ha dicho: "Es imposible inducir a otro a subir una montaña si usted mismo nunca ha subido una". Hebreos 2:18 lo expresa de forma clara y precisa que Cristo pasó por una vasta gama de experiencias humanas. De acuerdo con este versículo, ¿cómo puede estar seguro de que Jesús entenderá completamente sus tentaciones y sufrimientos?

_____

Debido a que Él mismo sufrió y fue tentado, está capacitado para ayudarlo cuando usted sea tentado. Escriba un problema o una tentación que usted está enfrentando hoy.

_____

Dedique al menos cinco minutos para meditar en 1 Corintios 10:13 a la luz de los que acaba de escribir. ¿Cree que Jesús entiende esa situación y puede ayudarlo?   Sí   No

Su compromiso para hoy

Ore de manera confiada y pida a Dios ayuda en esa situación hoy.

DÍA 4:
La continuación del proceso (segunda parte)

Lea Efesios 5:18; Juan 7:37-39; Filipenses 2:12-13; Hebreos 13:20-21.

El Cristo que vive en usted trae victoria a cada aspecto de su vida. Él fue tentado en todas las formas en que usted puede serlo y no pecó. Cristo no permitirá que usted sea tentado más allá de su capacidad para resistir. Él no sólo lo protege, sino que además le brinda todos los recursos que necesita para salir victorioso en las pruebas y las tentaciones de la vida diaria.

Ocúpese en lo que Dios está ocupándose

Efesios 5:18 es un versículo sorprendente. El verbo traducido "sed llenos" en realidad significa "sed intoxicados". Una de las consecuencias de beber demasiado alcohol es un funesto cambio de la conducta. En este versículo, Pablo dice: "Sed de tal manera llenos del Espíritu Santo que exista un cambio evidente en su conducta". De la misma manera en que tomar alcohol lo cambia a usted, "beber" el Espíritu Santo causa radicales y evidentes cambios en la manera en que usted piensa y se conduce.

Permítame señalar dos cosas importantes acerca de la palabra griega que se usa en el texto original de Efesios 5:18 y que se traduce "**sed llenos**".

1. El verbo está en forma imperativa, como una orden o un mandato.

2. La forma del verbo expresa una acción continua: "continuad siendo llenos" o "manteneos siendo llenos".

Así que esto no es una opción para usted. SE HA ORDENADO QUE SEA CONTINUAMENTE LLENO DEL ESPÍRITU SANTO PARA QUE EL CAMBIO DE SUS PENSAMIENTOS Y SUS ACCIONES SEA EVIDENTE.

No puede rebasar hasta que sea lleno

Juan 7:37-39 registra algo muy parecido dicho por Jesús. Según este pasaje:
¿Quién le da esa "bebida"?_____

¿De qué tipo de "bebida" hablaba Jesús?_____

¿Cuál es el resultado de "beber" el **Espíritu Santo**?

_____

_____

Ríos de agua viva correrán de su vida, ¡qué hermoso cuadro! ¿Recuerda lo que aprendió acerca de los dones que Dios le da? ¿Recuerda que ellos son los **canales o causes** para que el amor de Cristo fluya a través de usted hacia los demás?

Deténgase un momento y piense en la relación entre Juan 7:37-39 y su capacidad para ser un cause de las bendiciones de Dios para otros.

Lo que Jesús dijo en Juan 7:38 le recordaría además una de las dos cosas que le expliqué sobre el verbo **"sed llenos"** en Efesios 5:18. ¿Comprende cuál es la relación?

_____

_____

"Ríos de agua viva" fluirán constantemente. En Efesios se le ordena que sea lleno constantemente con el Espíritu de Cristo. Cristo le garantiza la salvación en el presente y le ofrece una interminable provisión de su Espíritu. Cada vez que tenga sed, acérquese a Él y beba. El resultado será el Espíritu de Cristo llenando su personalidad con su vida. Ríos de agua viva fluirán de su vida y bendecirán la vida de otros.

El "ocuparse" es su parte

Lea Filipenses 2:12-13. ¿No le parece que el mandato a "ocupaos en vuestra salvación" es inconsecuente con todo lo que hemos dicho con respecto a permitirle a Cristo tener el control y vivir por medio de usted para que haga todo lo que usted no puede? ¡De ninguna manera!

Observe que en estos versículos hay dos palabras muy importantes: **"ocupaos"** y **"produce"**. El sentido de la primera es: **"Ocúpese"** en lo que Dios está **"produciendo"** (obrando u ocupándose). Dios está obrando en usted para que haga lo que le agrada a Él. Sin embargo, usted debe **ocuparse** en lo que Dios está haciendo en usted. Tiene que decidir permitirle al Cristo que vive en usted que lo controle. Debe comprometerse a ser un canal abierto a través del que Él puede hacer fluir su amor hacia los demás.

Vuelva a Filipenses 2:12. ¿Por qué debe ocuparse de su salvación en el presente con **"temor y temblor"**? Seguro que no porque teme que un Dios enojado lo castigue. No, esto debe de significar otra cosa. Examine en las siguientes afirmaciones cuáles le ayudarían a explicar la frase "con temor y temblor".

❏ Usted debe vivir con una actitud de humildad.
❏ Siempre debe tener conciencia de sus propias debilidades.
❏ Debe tratar de manera constante de confiar más en Cristo y servirlo mejor.
❏ El temor a serle infiel a Dios es un temor saludable que debiéramos tener todos.
❏ Siempre debe sentir admiración por la manera en que Dios provee para sus necesidades.
❏ Debe tener temor de no permitirle a Cristo controlar su vida de tal forma que deje de recibir lo que solo Él puede darle.

Cómo lo capacita Dios

Usted habrá marcado todas la afirmaciones anteriores. Ahora lea Hebreos 13:20-21. ¿Para qué lo preparará Dios o lo hará perfectamente dispuesto?

_____

¿A través de quién lo capacita Dios para que **haga su voluntad**?

_____

Reconozca el hecho de que la **salvación en el presente** es suya **hoy**. Su victoria descansa en que Cristo vive en usted, y que Él ha experimentado las tensiones y necesidades que usted experimenta hoy. Dios está "ocupado en" su vida ahora mismo a través del poder de ese Cristo que vive en usted.

Escriba una breve afirmación que resuma alguna situación en la que estuvo tan controlado por el Espíritu Santo que fue obvio en su manera de actuar o de hablar.

_____

_____

_____

Su compromiso para hoy

En este momento medite en Filipenses 2:12-13. Luego escriba el mensaje que Dios tiene para usted en este pasaje hoy.

_____

_____

_____

Repaso

Hagamos un repaso. Su pasaje bíblico para memorizar para esta semana es Filipenses 1:6. Trate de escribirlo de memoria.

_____

_____

_____

¿Recuerda la frase clave que identifica la importante verdad que está estudiando esta semana? Úsela para marcar el dedo medio del dibujo de la mano. Luego trate de marcar los otros dedos. Verifique su trabajo observando la página 4.

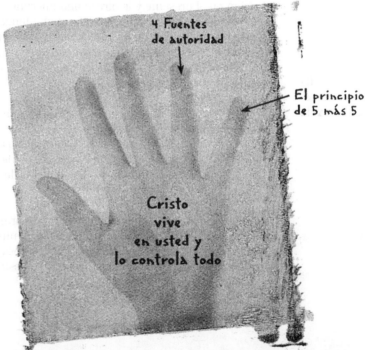

4 Fuentes de autoridad

El principio de 5 más 5

Cristo vive en usted y lo controla todo

DÍA 5:
El evento final

Lea Efesios 1:13-14; 1 Pedro 1:3-9;
1 Tesalonicenses 4:15-18.

Libre de la influencia del pecado

¿Alguna vez será libre de su vieja naturaleza, la naturaleza de pecado? ¿Algún día su nueva naturaleza no tendrá una lucha diaria con la vieja naturaleza?

¡Sí! Cuando Cristo regrese, será libre de la presencia y de la influencia de su vieja naturaleza.

Lea 1 Corintios 15:50-57, uno de los pasajes más notables que escribió Pablo y luego complete el ejercicio en el cuadro que aparece a continuación. Trace una línea entre cada afirmación y el versículo que corresponde.

A principios de esta semana aprendió en Efesios 1:13 que recibió el Espíritu Santo en el mismo momento en que le entregó su vida a Cristo. Lea ese versículo de nuevo y continúe con el versículo 14. ¿Qué importante verdad agrega ese versículo 14? El Espíritu Santo que recibió en el momento de su **salvación en el pasado** es una especie de "depósito" de lo **mucho más** que Dios tiene reservado como herencia para usted.

La Biblia usa en Efesios 1:14 la palabra "arras" que significa un adelanto o depósito. Cuando una persona compra una casa debe entregar algo de dinero como señal de que con eso se compromete a que en el futuro continuará haciendo los pagos hasta que la propiedad sea suya.

La garantía de la salvación en el futuro

¡Qué notable ilustración de la **salvación en el futuro**! Las "arras de nuestra herencia" (el adelanto o depósito de su herencia) ya han sido pagadas. Usted tiene el Espíritu Santo. Un día, Cristo lo llevará con Él. Cristo lo redimirá como su posesión adquirida. Y cuando lo haga, usted recibirá la totalidad de su salvación.

LOS TRES TIEMPOS DE LA SALVACIÓN

Su salvación en el futuro vendrá en un instante.	versículos 51-52
La muerte se relaciona con el pecado.	versículos 55-56
No puede heredar el reino de Dios con la vieja naturaleza en usted.	versículo 50
La inmortalidad está garantizada cuando su vieja naturaleza desaparezca.	versículos 53-54
Esto es obra de Jesucristo por completo, no el resultado de las buenas obras de usted.	versículo 57

Ahora lea detenidamente 1 Pedro 1:3-5 ¿Hablan estos versículos de su **salvación en el pasado** o de su **salvación en el futuro**?

Salvación en el pasado   Salvación en el futuro
Salvación en el pasado y en el futuro
Ninguna de ellas

La respuesta correcta es la que se refiere tanto a lo que Cristo ya hizo por usted (salvación en el pasado) como a lo que hará en el futuro (salvación en el futuro).

Observe 1 Pedro 1:6-9. ¿Cuál de los tres aspectos de la salvación ve en estos versículos?
Salvación en el pasado   Salvación en el presente
Salvación en el futuro   Todas ellas

¿Está de acuerdo que "todas ellas" es la mejor respuesta? Primera Pedro 1:6-9 se refiere a su fe en Cristo, a quien nunca ha visto con sus ojos. Aquí se refiere a la **salvación en el pasado** . El pasaje también se refiere a las pruebas por las que está pasando ahora, la que sirve para probar cuán genuina es su fe. Esta es la **salvación en el presente** y más adelante se refiere al día venidero cuando la prueba de su fe resultará en alabanza, gloria y honor. Esta es la **salvación en el futuro**.

¿Cuándo?   Según 1 Pedro 1:7 y 13, ¿cuándo gozarás de su salvación futura?

_____

Cuando Jesús se revele o aparezca, usted recibirá su herencia prometida.

En 2 Corintios 5:1-9 Pablo nos habla acerca de nuestro cuerpo y lo compara con **"morada terrestre"** o **"tabernáculo"**. Los versículos 2 y 4 los expresa como **"gemidos"** en nuestra actual casa. En su opinión, ¿cuál de las siguientes respuestas describe la razón de nuestros gemidos?

• Los cristianos pasan por momentos muy difíciles en la vida.
• Los cristianos están aterrorizados por la muerte.
• Los cristianos quieren liberarse de la vieja naturaleza.

Los versículos 2 y 4 tienen la respuesta correcta. Pablo habla en nombre de todos los cristianos cuando se refiere a nuestro deseo de ser librados de este cuerpo físico con su vieja naturaleza y todas las pruebas y aflicciones que produce la vieja naturaleza humana. Lo que él espera es el cuerpo nuevo que Dios le tiene preparado, uno que es perfecto porque no tiene todas las imperfecciones de la vieja naturaleza.

Segunda Corintios 5:5 le debe recordar lo que aprendió en Efesios 1:13-14 al comienzo del estudio de hoy. ¿Qué similitud de pensamiento ve entre estos dos pasajes?

_____

_____

Una vez más se encuentra con que el Espíritu Santo es como un **"depósito"** o una **"garantía"** de la herencia futura que Dios tiene para usted.

Cuando termine el estudio de esta semana usted habrá llegado a la mitad del estudio "Sígueme Uno". Aun cuando son solo unos días, hagamos una evaluación de mitad de curso.

Evaluación de mitad de curso

¿Cómo se ha desarrollado su hora devocional? Usted ha estudiado "Sígueme Uno" por cuatro semanas. Este es el día 32, contando los fines de semana. Haga un círculo alrededor del día en que ha tenido un significativo tiempo de estudio bíblico, meditación y oración.

1	2	3	4	5	6	7
8	9	10	11	12	13	14
15	16	17	18	19	20	21
22	23	24	25	26	27	28
29	30	31	32			

Hasta hoy usted se debe haber aprendido de memoria cuatro pasajes bíblicos. ¿Puede escribirlos aquí?

Semana fundamento: Salmo 119:11:
_____

Semana 1: Romanos 12:4-5:
_____

Semana 2: Gálatas 5:16, 22-23:
_____

Semana 3: Filipenses 1:6:
_____

Usted debe poder recordar las tres verdades fundamentales que han sido los temas de las semanas 1, 2 y 3. Recordarlos debe ser tan fácil como 1-2-3. Escríbalos aquí como si lo estuviera escribiendo en el dibujo de la mano.

1 _____

2 _____

3 _____ _____ _____

Finalice su hora devocional meditando en 1 Pedro 1:3-9. Concéntrese en descubrir qué es lo que Dios quiere decirle acerca de la **salvación en el presente** en su vida hoy. Luego, ore una oración de compromiso obediente hacia Dios.

Su compromiso para hoy

Una mirada hacia atrás

Resolver este crucigrama le dará un repaso de los puntos importantes que debe recordar del estudio de esta semana. La solución se encuentra en la página 127.

Horizontales

5. En el futuro, usted será salvo de la _____ del pecado.
7. Por medio de la _____ de Cristo, usted recibió la salvación en el pasado.
8. En el presente, está siendo salvo de la _____ del pecado.
10. El tema de esta semana fue _____ (4 palabras).
13. ¿Cuál es la "bebida" con que debemos llenarnos? (2 palabras).
14. La salvación en el pasado y la salvación en el futuro son _____.
15. En el pasado, usted fue salvo de la _____ del pecado.

Verticales

1. El sello de propiedad de Dios en usted es ___.
2. EL Espíritu Santo es el "depósito" de su _____.
3. Usted debe ____ qué Dios está obrando en usted.
4. ¿Qué clase de sumo sacerdote es Jesús? (2 palabras).
6. ¿Qué puede usted hacer para merecer el perdón de Dios por medio de Cristo?
9. Por medio de la _____ de Cristo usted ha recibido la salvación en el presente.
11. La salvación en el futuro es un _____.
12. Jesús fue tentado como nosotros somos tentados, pero Él ___ _____ (2 palabras).

SEMANA 4:
Una mirada hacia adelante

Las decisiones acerca de la vida espiritual no son fáciles de tomar, ¿no es cierto?

¿Hay alguna autoridad final y última de la que pueda valerse para distinguir entre lo que está bien y lo que está mal, lo que es correcto y lo que es incorrecto? ¿Hay alguna autoridad final y última de la que pueda depender para que lo guíe en su diario vivir?

¡Sí! Esa autoridad es la Biblia, la Santa Palabra de Dios, no son las experiencias, las tradiciones, los sentimientos o el intelecto. Esta semana aprenderá acerca de la autoridad final para su vida, y de qué manera Dios quiere que la relacione con las experiencias, las tradiciones, los sentimientos y el intelecto.

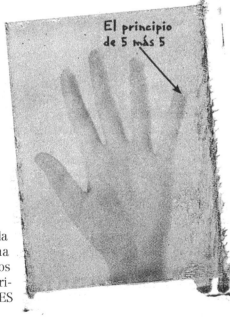

El principio de 5 más 5

El tema para esa semana es:
4 Fuentes de autoridad

Trate de marcar en el dibujo de la mano lo que debe decir la palma de la mano, el dedo pulgar y los primeros dos dedos. Luego, escriba en el cuarto dedo 4 FUENTES DE AUTORIDAD.

DÍA 1:
Tres fuentes inadecuadas

Lea Colosenses 2:1-4, 20-23.

¿Cuántas veces ha escuchado o dicho algo así como: "Quiero hablar con alguien que tenga **autoridad**"?

¿Cuántas veces ha oído decir: "Tengo que hablar con mi jefe para eso", o "Lo lamento, pero no tengo la autoridad para decir sobre eso"? Todo el mundo tiene a veces la necesidad de llegar ante alguien o ante algo que tenga la **autoridad** final.

Todas las religiones o sistemas religiosos se fundamentan en una o más de las siguientes **cuatro fuentes de autoridad**.

Tres fuentes inadecuadas y una fuente final

Esta semana aprenderá acerca de tres fuentes de autoridad sutiles y peligrosas que otros pueden usar cuando trate de compartir su nueva fe con ellos. Estas inadecuadas tres fuentes de autoridad lo confundirán y lo distraerán en su crecimiento cristiano si usted no comprende la verdadera relación de ellas con la **única y verdadera fuente de autoridad**. También aprenderá de esa fuente verdadera y cómo las tres fuentes inadecuadas están relacionadas con ella.

Estudie el siguiente cuadro que resume **las cuatro fuentes de autoridad**. Cada recuadro debe tener un título que aparecerá en la parte superior. Escriba cada título en el recuadro con la descripción que piensa sea la mejor. Puede encontrar las soluciones en la página 76.

EXPERIENCIAS INTELECTO	ESCRITURAS TRADICIÓN
FUENTES QUE ESTÀN DENTRO DE USTED	**FUENTES QUE ESTÀN FUERA DE USTED**
_____	_____
Usted determina la verdad por su capacidad de decidir lo que es correcto o equivocado, bueno o malo, y así sucesivamente.	**Usted construye sus creencias sobre la base religiosa que sus antepasados le dejaron.**
_____	_____
Usted determina sus creencias sobre la base de sus sentimientos, sus emociones y su razonamiento.	**Dios revela su verdad en forma escrita. Esa verdad es nuestra fuente de autoridad final y completa.**

El Apóstol Pablo sabía mucho sobre las fuentes inadecuadas de autoridad. En sus viajes misioneros se encontró con mucha gente que dependía de ellas, en lugar de la única y verdadera fuente de autoridad. Mucho de lo que Pablo escribió fue para refutar a los líderes que promovían las fuentes inadecuadas de autoridad y exhortaba a los cristianos a mantenerse aferrados a la fuente verdadera.

El tesoro del cristiano

Lea Colosenses 2:1-4. En el versículo 2, Pablo dice que quiere que los cristianos de Colosas sean **ricos**. Pero ¿a qué clase de riquezas se refería?

_____

Pablo quería que los cristianos de Colosas tuvieran **pleno entendimiento**.

En el versículo 3, Pablo les dijo que en Cristo encontrarían un doble tesoro escondido. ¿Cuál era ese tesoro?

_____ y _____

¡Estamos en peligro!

¿Por qué Pablo quería que sus compañeros cristianos tuvieran el tesoro de la **sabiduría y del conocimiento** escondidos en Cristo? El versículo 4 lo dice.

_____

_____

Necesitamos prestar atención a lo que Pablo dice en Colosenses 2:8 debido a que todos estamos en peligro de ser engañados o de formarnos ideas erróneas. Colosenses 2:8 dice: "Mirad que nadie os engañe por medio de filosofías y huecas sutilezas, según las tradiciones de los hombres, conforme a los rudimentos del mundo, y no según Cristo".

En este versículo Pablo identifica una de las fuentes inadecuadas de autoridad e indica implícitamente otra. ¿Cuál es la que identifica?
❏ Experiencia   ❏ Intelecto   ❏ Tradición

¿Cuál es la que indica implícitamente? Tal vez deba pensar acerca de ella por un momento.
❏ Experiencia   ❏ Intelecto   ❏ Tradición

¿Marcó **tradición** como fuente inadecuada de autoridad que Pablo identificó con claridad? Debe haber marcado **intelecto** como la que él implicó. La apelación de la filosofía es a la mente y a los procesos de razonamiento, es decir, al intelecto. Pablo dice que los filósofos falsos estaban ocupándose en un engaño sin sentido. Ese engaño era desviar los pensamientos y las ideas de los que los escuchaban.

¿Qué quiso decir Pablo cuando mencionó que usted pudiera llegar a "**ser engañado**" por esas fuentes equivocadas de autoridad? (Observe el versículo 4).

_____

_____

¿Se ha encontrado alguna vez con una persona cuya mente estaba cautivada por una idea falsa, de forma tal que no podía entender lo que trataba de decirle? Su primer versículo para memorizar en esta semana es 1 Corintios 2:14. Más adelante en la semana estudiará este versículo de manera más detallada. Comience ahora a memorizar el versículo bíblico.

Lea Colosenses 2:20-23.¿Qué poderoso argumento dio Pablo en contra de vivir "de acuerdo a los mandamientos y enseñanzas de los hombres"? Observe la primera parte del versículo 20.

_____

_____

Cómo se relacionan las cuatro fuentes

El intelecto, la tradición y las experiencias son criterios humanos. Y Pablo argumentó que usted no debe vivir meramente de acuerdo con las normas humanas porque **"habéis muerto con Cristo"**. Colosenses 2:23 dice que estos criterios humanos pueden aparentar ser sabios y apropiados. Pero ellos son siempre inadecuados e inapropiados porque no se someten a la **única y verdadera fuente de autoridad: Jesucristo**.

Dios le dio su mente, su **intelecto**. Él espera que lo use. Dios le da sus **experiencias**, y espera que usted las tenga en cuenta. Algunas cosas son inmutables, no han desaparecido con el paso de los siglos. Algunas **tradiciones**, en especial las que se

fundamentan en las Escrituras, se han preservado. Pero ni el intelecto, ni las experiencias, ni la tradición deben llegar a ser su **última autoridad de fe.**

Luego de observar con más detenimiento las tres fuentes inadecuadas, veremos como la Biblia, la Palabra de Dios, es la final, precisa y competente fuente de autoridad; porque relata quién fue Jesús, qué enseñó y qué hizo. Las experiencias, el intelecto y las tradiciones pueden ayudarnos a descubrir y entender la verdad. Pero solo cuando se entienden e interpretan a la luz de lo que la Biblia enseña.

En su hora devocional hoy medite en Colosenses 2:6-8. ¿De qué manera este pasaje debiera influir en lo que cree, lo que siente y la manera en que actúa?

Su compromiso para hoy

_____

_____

¿Qué le promete a Dios que hará con respecto a esto?

_____

Usted habrá ordenado los títulos de la gráfica en la página 74 de la manera siguiente:

INTELECTO	TRADICIÓN
EXPERIENCIAS	ESCRITURAS

DÍA 2:
Intelecto y tradición

Lea Marcos 12:18-25; 1 Corintios 1:18-25; 2:7-14; Mateo 15:1-9; 1 Pedro 1:18-19.

Nuestra determinación de usar el intelecto y la lógica como autoridad final es la manera más evidente de coronarnos **a nosotros mismos** como "dios" de nuestra vida. Por otra parte, nuestra dependencia de la tradición y los rituales es la manera más evidente de escapar a la responsabilidad de tomar decisiones y ser responsables por ellas. Veamos estas dos fuentes de autoridad para observar por qué son inadecuadas en sí mismas.

El intelecto no es suficiente

Hay algo en la especie humana que nos hace creer que podemos emitir juicios definitivos acerca de la verdad y la mentira, del bien y el mal, de lo correcto y lo equivocado, con usar solo nuestro intelecto. Sin embargo, la historia muestra que constantemente usamos **juicios ineficientes**, y que el intelecto, por sí sólo, no es adecuado para tomar decisiones.

"Lo creeré si lo puedo entender"

Aun así, las personas rechazan creer en las Escrituras y confiar en Cristo porque no pueden llegar a Él por medio del intelecto. Ellos dicen: "No puedo entender cómo Dios puede..." O: "No tiene sentido creer que Dios puede..."

En los primeros años de su ministerio, Jesús tuvo que enfrentarse a esta clase de pensamientos. Lea

Marcos 12:18-25. Los saduceos eran un grupo principal dentro de la religión judía en tiempos de Jesús. Según el versículo 18, ¿qué se negaban a creer los saduceos? *¿Qué dijo Jesús?*

_____

Para respaldar sus dudas intelectuales con respecto a la **resurrección** después de la muerte, los saduceos le contaron a Jesús una larga historia. ¿En qué se basaba esa historia?
- ❏ En la enseñanza de las Escrituras
- ❏ En el propio razonamiento de ellos

En Marcos 12:24, ¿de qué manera analizó Jesús el **razonamiento** de los saduceos? Jesús dijo que eran _____ porque ignoraban _____ y el _____.

Los saduceos estaban **equivocados** porque no comprendían las Escrituras ni el **poder de Dios.** ¿Cree que los saduceos en realidad estaban buscando la verdad cuando vinieron a Jesús?
❏ Sí   ❏ No

¿Cuál fue la **fuente de autoridad** que los saduceos tenían en su sistema religioso?

_____

De la misma manera que Jesús, Pablo tuvo que enfrentarse a los que hacían de su **intelecto** la fuente de autoridad para sus creencias. Lea

Lo que dijo Pablo

1 Corintios 1:18-25. En el versículo 20 hay una palabra que describe bien a los saduceos que vinieron a Jesús. Escríbala en el margen.

Tratar de **debatir** o **argumentar** con una persona acerca de sus creencias, rara vez lleva a algo positivo. Pablo nos dice en los versículos 20 y 21 que Dios ha enloquecido la sabiduría del mundo. La verdad que lleva a la salvación se considera una locura en el mundo.

Pablo analizó la manera en que dos grupos étnicos principales de su época usaron la sabiduría del mundo (1 Corintios 1:22-25).

¡Esto no quiere decir que la fe esté en contra del intelecto! Pablo mismo fue una de las más brillantes y capacitadas mentes de su época. Lea 1 Corintios 2:7-8 para que aprenda **qué tipo** de sabiduría Pablo tuvo. Él dijo que si los príncipes de este mundo hubieran entendido esa sabiduría verdadera, no hubieran cometido aquel delito terrible. ¿Cuál?

La fe cristiana emplea la mente

_____

Pablo no acusó a la humanidad de tener demasiada sabiduría, sino de tener muy poca de la **verdadera** sabiduría. Si hubieran tenido suficiente sabiduría verdadera, no habrían **crucificado al Señor Jesús**. Ahora lea 1 Corintios 2:9-11 para aprender **por qué** la gente del mundo no entendió lo que Jesús fue y por qué había venido. De acuerdo al versículo

11, ¿quién es la única persona que comprende los pensamientos de Dios?

_____

Si sólo el **Espíritu de Dios** entiende los pensamientos de Dios, ¿cuál es la única manera en que puede una persona entenderlos? Lea los versículos 12 y 13 para descubrir la respuesta. Resuma esos versículos con sus propias palabras.

_____

_____

¿Escribió algo así? **Los cristianos hemos recibido el Espíritu de Dios que nos enseña la verdad de Dios.** Según 1 Corintios 2:14. ¿por qué es imposible para una persona hallar a Dios por medio del intelecto?

_____

La **persona natural o del mundo** (eso significa cualquier persona que no ha entregado su vida a Cristo) **no ha recibido el Espíritu de Dios.** De acuerdo al mismo versículo, usted no puede depender solo de la razón cuando habla con una persona que únicamente tiene al intelecto como su **autoridad final**. Debe pedirle a Dios que use su Espíritu Santo para darle la clase de conciencia y convicción que preparará a la persona para que crea.

Debiera encontrar familiar a 1 Corintios 2:14 cuando lo lea hoy. Trate de escribirlo de memoria en el margen. Luego, use su tarjeta para la memorización bíblica para verificar su memorización.

Ahora, consideremos por qué la tradición en sí es una inadecuada fuente de autoridad.

"Siempre lo hicimos así", no es suficiente

Las tradiciones por lo general se desarrollan cuando alguien en el pasado, decide que una enseñanza en particular, una costumbre o una ceremonia debiera repetirse una y otra vez. Para esa persona, la enseñanza, la costumbre o la ceremonia fue tan importante que debe preservarse y no ser olvidada.

No obstante, sucede con frecuencia que el **verdadero significado** de la enseñanza, la costumbre o la ceremonia se pierde. Solo la forma en que se hace u observa permanece, pero sin ningún tipo de **compromiso verdadero**. La tradición puede llegar a convertirse en una celda que encierra a los que pudieran encontrar el verdadero significado de la enseñanza, la costumbre o la ceremonia original si se expresara de un modo diferente.

Lo que dijo Jesús

Lea Mateo 15:1-9. Los líderes religiosos criticaban a los discípulos de Jesús porque no se lavaban las manos de una forma determinada antes de comer. Pero Jesús les dijo a estos líderes religiosos que estaban ignorando un asunto más importante. ¿Cuál de los Diez Mandamientos los acusó Jesús de haber quebrantado?

_____

Los fariseos y los escribas estaban quebrantando (o al menos "torciendo") el mandamiento de honrar a su padre y a su madre. Cuando se enfrentan las **Escrituras** con la **tradición,** usted debe tener bien claro por cuál se decidirá. Resuma en sus propias palabras la cita que Jesús hace de la profecía de Isaías en Mateo 15:8-9. Escriba su resumen en el margen.

Algunas personas adoran a Dios **con sus labios no con su corazón**. Lea 1 Pedro 1:18-19. Según esos versículos, ¿puede la **tradición** salvar a las personas? A la luz de los versículos de Mateo que estudió hoy, ¿**por qué no**?

_____

_____

¿Escribió que la tradición tiende a ser parte de una **expresión externa**, pero no del **corazón**, y que las **tradiciones humanas** muchas veces en realidad se oponen a la **Palabra de Dios**?

¿Conoce a personas que han sido desviadas por su intelecto o han sido atrapadas por la tradición religiosa? Piénselo y haga una lista con el nombre de algunas de ellas en el margen y comprométase a orar por cada una de ellas en su hora devocional.

Su compromiso para hoy

DÍA 3:
La experiencia

Lea Deuteronomio 13:1-4; Colosenses 2:18-19;
2 Pedro 1:16-21.

Desde los comienzos, las personas han usado sus propias experiencias como fundamento para sus creencias religiosas, y han considerado a los que no tuvieron la misma clase de experiencias como seres espiritualmente inferiores. El uso nada más de las experiencias como el fundamento para sus creencias es peligroso. Dios usa un mejor método para revelarse a sí mismo. Él nos ha dado un registro escrito de la verdad. Todas las experiencias en la vida se deben evaluar a la luz de ese registro.

La experiencia personal no es suficiente

Lea Deuteronomio 13:1-4. Según estos versículos, marque cuál es la prueba más segura de la verdad en la experiencia de un profeta o de un soñador.
- ❏ Si la profecía se convierte en realidad.
- ❏ Si el profeta o el soñador lo tienta a alejarse del único y verdadero Dios.

¿Qué acerca de las señales y prodigios?

Aun cuando alguien pueda mostrarle señales y prodigios, y sus predicciones parezcan verdaderas, usted no debe escucharlo si **esto limita su devoción a Dios**. ¿Qué razón da Deuteronomio 13:3 de que los que hacen de las experiencias su autoridad religiosa a veces parecen tan persuasivos?

Dios puede permitirle a una persona que hable persuasivamente demostrando una gran autoridad. Esa persona puede incluso tener una relación especial con Dios y realizar milagros. Dios lo permite para darle la oportunidad de demostrar su amor y su compromiso hacia Él. También Dios permite situaciones que requerirán que ejercite sus "músculos espirituales" y ayudarlo así a crecer espiritualmente.

Depender de las **experiencias** como la fuente de autoridad siempre causa problemas. Lea Colosenses 2:18-19. ¿Con respecto a qué problema específico escribió aquí el Apóstol Pablo?

_____

Algunos de los colosenses parece que habían tenido visiones. Como resultado de eso, estaban tratando de hacer que todos los demás cristianos se unieran en la **adoración de los ángeles** y en otras prácticas falsas. Según el versículo 19, ¿cuál es el error que la gente comete cuando usan la experiencia como su fuente de autoridad?

Según el versículo 19, ¿dónde se encuentra la fuente de crecimiento en el cuerpo de Cristo?

_____

Pablo dice que los que se aferran a las experiencias como su fuente de autoridad **no se sujetan a Cristo, que es la cabeza** del cuerpo, (que es la iglesia).

¿Son algunos cristianos "superiores espiritualmente" a otros?

Fundamentan su fe en alguna experiencia "especial o poco común", y con frecuencia se consideran a sí mismos espiritualmente superiores sobre los que no han tenido la misma experiencia.

Sin lugar a dudas, su profundo compañerismo con Dios producirá experiencias más significativas en su vida. Esas experiencias pueden ser una bendición para usted y para otros cristianos. Pero cuidado con insistir en que otros tengan la misma clase de experiencia suya. Cuidado con los que insisten en que usted tenga la misma experiencia que ellos han tenido. Cuando los cristianos comienzan a buscar la **experiencia** en lugar de la **comunión con Dios**, están en peligro de caer en la trampa de una falsa fuente de autoridad.

Las experiencias se deben interpretar

Las experiencias, como el intelecto y la tradición, se deben interpretar a la luz de las Escrituras. Lea 2 Pedro 1:16-18. En este pasaje, Pedro habla acerca de la transfiguración de Jesús. Él había visto este importante hecho con sus propios ojos. De acuerdo con las Escrituras, Pedro hizo estas afirmaciones de la experiencia.

❏ "Habiendo visto con nuestros propios ojos su majestad".
❏ "Él recibió de Dios Padre honra y gloria".
❏ "Le fue enviada ... una voz que decía: Este es mi Hijo amado en el cual tengo complacencia".
❏ "Nosotros oímos esta voz enviada del cielo".
❏ "Estábamos con él en el monte sagrado".

Ahora lea el relato escrito del suceso en Mateo 17:1-5. Marque cada una de las afirmaciones de Pedro que el relato verifica.

Está claro que Pedro sabía muy bien de lo que estaba hablando. No obstante, lea detenidamente qué dijo a continuación en 2 Pedro 1:19-21. ¿Se da cuenta de que Pedro habló de alguna cosa "**más segura**"? ¿Qué podía ser **más seguro** que lo que él mismo había visto con sus propios ojos? Usted pudiera decir: "¡Nada es más seguro que eso!" Pero Pedro dijo: "Tenemos también la palabra profética más segura" (2 Pedro 1:19). Pedro decía que había algo que era aún más confiable que lo que él mismo vio y escuchó: Las palabras escritas por hombres que fueron guiados por el Espíritu Santo de Dios.

Comenzando esta semana, tendrá dos pasajes bíblicos para memorizar. El primero habla de personas que dependen de alguna de las tres fuentes inadecuadas de autoridad. Ya debe ser capaz de escribir de memoria 1 Corintios 2:14. ¡Inténtelo! Luego, use la tarjeta de memorización bíblica para verificarlo.

_____

_____

Mañana comenzará a aprender acerca de la única, verdadera y final fuente de autoridad. Su segundo pasaje bíblico para memorizar y hablar de esa fuente. Comience a memorizar 2 Timoteo 3:16 ahora.

Resumamos lo que hemos aprendido acerca de las tres fuentes inadecuadas de autoridad: intelecto, tradición y experiencias. Ya sea que las consideremos juntas o por separado, estas tres fuentes de autoridad religiosa nunca serán lo mejor que el hombre pueda tener si él no posee la verdad de Dios. Todas estas se basan en estructuras humanas. Por lo tanto, todas son callejones sin salida.

En resumen

Eso de que "todas las religiones llevan al mismo Dios" no es verdad. La persona que dice tal cosa nunca ha estudiado "todas las religiones". En realidad, algunas religiones ni siquiera admiten la existencia de Dios.

Si aún no se ha enfrentado a personas sinceras y serias que le quieren presentar distintos tipos de creencias y enseñanzas religiosas, ya tendrá la ocasión. Puede parecer que tratan sinceramente de influir en usted por medio de sus creencias. Examine sus creencias con mucho cuidado. ¿Se basan en el **intelecto**?

LA MENTE DEL HOMBRE NO PUEDE SER EL JUEZ DEFINITIVO DE LA VERDAD ESPIRITUAL. ¿Se basan en la **experiencia**? LAS ACTIVIDADES DEL HOMBRE NO PUEDEN SER LA FUENTE DEFINITIVA PARA LA VERDAD ESPIRITUAL. ¿Se basan en la **tradición**? NUESTRAS EXPERIENCIAS Y NUESTRO INTELECTO EN EL PASADO NO SON MÁS CONFIABLES QUE NUESTRAS EXPERIENCIAS Y NUESTRO INTELECTO EN EL PRESENTE.

Lea 1 Timoteo 1:3-7. Según el versículo 4, ¿a qué llevan las enseñanzas de los hombres?

_____

Las simples **especulaciones**, **preguntas** o **argumentos** no hacen nada para fortalecerlo como cristiano. Por otra parte, ¿hacia dónde llevan las verdaderas enseñanzas de Dios?

_____

La verdadera enseñanza de Dios lleva a tener un **corazón puro**, una **conciencia buena** y una **fe sincera**. En 2 Timoteo 2:18, Pablo habló acerca de cómo las enseñanzas falsas habían perturbado o descarriado la fe de algunos. De acuerdo con el versículo 19, ¿qué le dijo Pablo a Timoteo que podía mantenerlo firme en la fe?

_____

Su compromiso para hoy

Un fundamento firme de las enseñanzas de la Palabra de Dios se levanta tan sólido como siempre. Concluya su hora devocional meditando en 2 Pedro 1:16-21. Espere ante Dios y deje que Él le revele en qué forma esos versículos deben afectar su vida hoy.

DÍA 4:
Las Escrituras, la única y verdadera fuente

Lea Isaías 53:5, 7, 9; 2 Timoteo 1:2-5; 3:14-17.

Un libro maravilloso

La Biblia es un libro maravilloso. Contiene cientos de afirmaciones acerca de eventos que todavía no habían ocurrido cuando los autores los escribieron. Profecías acerca de reyes y reinados futuros, predicciones de nacimientos y muertes, vaticinios de la venida del Salvador al mundo. Todo esto se encuentra en la Biblia.

Por ejemplo, lea Miqueas 5:2 y después Mateo 2:1-6.

¿Dónde dijo el profeta Miqueas que nacería el Salvador? _____

¿Dónde nació Jesús? _____

Lea el siguiente pasaje bíblico. Este es parte de un maravilloso poema profético que escribió Isaías.

5a Mas él herido fue por nuestras rebeliones,
5b molido por nuestros pecados;
5c el castigo de nuestra paz fue sobre él,
5d y por su llaga fuimos nosotros curados.
7a Angustiado él, y afligido,

7b no abrió su boca;
9a y se dispuso con los impíos su sepultura,
9b mas con los ricos fue en su muerte;
9c aunque nunca hizo maldad,
9d ni hubo engaño en su boca.
— *Isaías 53:5,7,9*

Ahora lea los versículos del Nuevo Testamento enumerados a continuación. Al lado de cada uno, escriba el número y la letra de una o más de las subdivisiones de Isaías 53. He hecho la primera como ejemplo. (Las respuestas están al final del material para este día).

   _5a_ Juan 19:34
   _____ Mateo 27:14
   _____ Juan 20:25
   _____ Mateo 27:38
   _____ Juan 19:1
   _____ Mateo 27:57-60
   _____ Mateo 27:13
   _____ Juan 19:4

Es interesante saber que Isaías 53 se escribió cientos de años antes de que Cristo naciera. En la época de Isaías la ejecución en la cruz era totalmente desconocida. Es más, las palabras **"fue herido"** en Isaías 53:5 confirman los clavos de la cruz y la herida en el costado de Jesús. ¿Cómo alguien podía haber adivinado que Jesús sería ejecutado junto a **hombres impíos** (los dos ladrones en las cruces a cada lado) y aún más **"con los ricos fue en su muerte"** (José de Arimatea, el que lo

sepultó)? ¡Solo el Espíritu de Dios pudo darle a los profetas este conocimiento!

El mismo Señor Jesús hizo una predicción del futuro, léala en Juan 14:2-3. ¿Cuáles dos eventos futuros Jesús profetizó?

1._____

2. _____

Jesús predijo que (1) **prepararía un lugar para usted en el cielo**, y (2) que **volvería a buscarlo para llevarlo con Él a ese lugar.** ¿Qué razón tiene para creer que Jesús cumplirá esas promesas en el futuro?

_____

Muchas de las profecías bíblicas ya se han hecho realidad. Por esa razón, usted puede confiar en que **las demás, a la larga, también se cumplirán.** La Biblia es un libro lleno de predicciones. Solo Dios puede haberlas predicho con absoluta exactitud. ¿No es maravillosa la Palabra de Dios?

Cuatro fuentes de autoridad... pero ¡solo **una** es confiable! El Apóstol Pablo sabía cuál era. Lea 2 Timoteo 3:14-17. Concéntrese en el versículo 15. ¿Por cuánto tiempo Timoteo había estado estudiando las Escrituras?

_____

La única fuente confiable de autoridad

Ya que había estudiado las Escrituras desde que era un niño, ¿cuánto sabía Timoteo de las Escrituras?

_____

¿Qué otros escritos en el mundo pueden darle la clase de sabiduría que lo conducirá a la **"salvación por fe que es en Cristo Jesús"**? ¡Ninguno!

Céntrese ahora en 2 Timoteo 3:14. ¿Qué le instruyó Pablo a Timoteo que hiciera?

_____

¿Cuál es la diferencia entre **aprender** una verdad y **creer firmemente** en esa verdad?

_____

Observe ahora 2 Timoteo 3:16. Este es su segundo pasaje bíblico para memorizar en esta semana. Usted debe saber lo que dice sin tener que referirse a su Biblia. Ya que se nos dio por inspiración de Dios, ¿para qué cuatro cosas es útil la Biblia? Enumérelas en el margen.

Esté seguro de entender el significado del versículo 16 cuando usa la palabra **"inspirada"**. La raíz de la palabra significa **"soplar dentro"**. Las Escrituras son la obra directa de Dios, quien **inspiró** su verdad **dentro** de la mente de las personas que escribieron la Biblia. Ella no solo **contiene** la verdad, la Biblia es la verdad. Es el registro final y supremo de la verdad de Dios. Aunque otras fuentes pueden ser de ayuda, ninguna es esencial; ya sea que se trate de un libro, una visión, una experiencia o una tradición.

La inspiración hace confiable a las Escrituras

Las Escrituras son útiles para **"enseñar, para redargüir, para corregir, para instruir en justicia"**. El estudio de la Palabra tendrá un efecto evidente en su vida. Observe ahora el versículo 17. ¿En qué se convertirá a medida que estudie las Escrituras?

_____

¿Quieres en realidad ser **"perfecto, enteramente preparado para toda buena obra"**? Si es así, ¿usted sabe cómo? Lo está haciendo, si es constante en la lectura de la Biblia y medita en ella durante su hora devocional, si trabaja en esta guía de estudio "Sígueme Uno", y si aprende los versículos bíblicos para memorizar. El primer versículo asignado para memorizar dice algo acerca de la importancia de memorizar de la Palabra de Dios. Si repasa sus pasajes bíblicos para memorizar de manera sistemática, usted pudiera escribirlo aquí de memoria.

_____

_____

Timoteo había estudiado las Escrituras desde que era un niño. Usted puede comenzar a estudiarla

hoy. Finalice su hora devocional con esta oración de compromiso: Por el resto de su vida, su prioridad será la lectura, el estudio y la meditación de las Santas Escrituras de Dios.

Su compromiso para hoy

Las respuestas al ejercicio son:
5a: Juan 19:34; 7b: Mateo 27:14; 5a: Juan 20:25;
9a: Mateo 27:38; 5d: Juan 19:1; 9b: Mateo 27:57-
60; 7a: Mateo 27:13; 9c, 9d: Juan 19:4

DÍA 5:
Las Escrituras
(continuación)

Lea 1 Corintios 15:3-7; Hechos 18:24, 28; Hebreos 5:12-14.

La Biblia reclama ser **una fuente eterna de sabiduría y justicia.**

Antes de que abra su Biblia, lea estas explicaciones: (1) En los versículos que estudiará hoy, encontrará muchas expresiones distintas para referirse a la Palabra de Dios, tales como: **ley, preceptos, testimonios, estatutos, mandamientos, juicios.** (2) En la Biblia la expresión **"Palabra de Dios"** tiene un significado más extenso que solo la Biblia. Quiere decir **cualquier cosa que Dios dijo acerca de sí mismo**, ya sea a través de su profeta, a través de la majestad de su creación, o por lo que Él ha determinado que se realice en la historia de la humanidad en su mundo. "La Palabra de Dios" significa **la expresión activa de la misma naturaleza de Dios.** Como tal, ciertamente **incluye las Escrituras:** esos escritos que son el único registro de la actividad de Dios.

¿Qué dice la Biblia acerca de sí misma? Lea detenidamente cada uno de los siguientes versículos: Salmo 19:7-11; 37:29-31; 119:89-91, 98-101, 130, 160; Isaías 40:6-8. Estos versículos se refieren a los grandes reclamos que la Biblia hace de sí misma. **La Biblia es eterna, es una fuente de sabiduría, es una fuente de rectitud y justicia.** Junto a cada una de las siguientes palabras claves escriba la cita bíblica que le corresponde.

ETERNA:_____

SABIDURÍA: _____

JUSTICIA: _____

Además de estos versículos que acaba de leer, el segundo versículo bíblico para memorizar es un pasaje en el que la Biblia hace un reclamo para sí misma. ¿Puede citar a 2 Timoteo 3:16 aquí?

_____

Otro versículo que ha aprendido explica por qué muchas personas tienen un concepto equivocado de la Biblia. La Biblia fue **inspirada** por el Espíritu de Dios y puede ser **interpretada correctamente** solo por aquellos en quienes **mora** el Espíritu de Dios. Escriba 1 Corintios 2:14 a continuación.

_____

_____

¿Dónde dice el Salmo 37:31 que la autoridad de las Escrituras se mantendrán? Escriba la respuesta en el margen.

Es reconfortante saber que como usted tiene la Palabra de Dios en su corazón, sus pasos en el sendero de la vida no se deslizarán o titubearán.

Cuatro fuentes de autoridad... pero sólo una de ellas es confiable. Usted sabe cual es.

Las Escrituras son la autoridad

El Apóstol Pablo también conocía qué fuente de autoridad es confiable. Lea lo que Pablo escribió en 1 Corintios 15:3-8. Dos veces mencionó la autoridad que él estaba usando al resumir la muerte, sepultura y resurrección de Jesucristo. ¿Qué fuente de autoridad era?

_____

También usted puede usar las **Escrituras** como su fuente de autoridad cuando le testifica a otros de Cristo. Pero esto no se da "automáticamente" en usted con solo ser un cristiano. Lea en Hechos 18:24, 28 una breve biografía de un creyente llamado Apolos. ¿Cómo cree que Apolos se volvió tan capacitado en su conocimiento y uso de las Escrituras?

_____

El conocimiento de las Escrituras es importante

¿Es importante para **usted** conocer las Escrituras tan bien como las conocía Apolos? ¿Es lo bastante importante para usted establecer un orden correcto de sus propias prioridades con el objetivo de **estudiar las Escrituras**?

¿Qué aspectos de su vida necesitan reorganizarse para que pueda dedicar un tiempo al hábito de estudiar la Biblia?

_____

Con toda sinceridad, ¿está preparado y dispuesto a poner en orden su vida para que pueda hacerse el hábito de estudiar las Escrituras desde este momento?

❏ Sí   ❏ No

Lea de nuevo Hechos 18:28. ¿Qué tuvo que hacer Apolos antes de poder demostrar públicamente que Jesús era el Mesías, el Cristo?

_____

¿Le gustaría ser capaz de testificar de Cristo a otros con facilidad?

❏ Sí   ❏ No

Si es así, ¿qué pasos daría **ahora para prepararse** como lo hizo Apolos?

_____

Lea Hebreos 5:12-14. Según estos versículos, ¿cuál fue el resultado trágico para algunos cristianos que nunca se molestaron en desarrollar el hábito del estudio bíblico personal?

_____

¡Qué trágico cuando los cristianos que ya debieran ser lo bastante maduros para servir de **maestros,** necesitan **todavía de alguien que les enseñe los rudimentos de la Palabra de Dios!** Esas personas son lo opuesto a Apolos. Enumere a continuación el nombre de uno o dos cristianos que le recuerdan a Apolos... y uno o dos que le recuerdan a los que se describen en Hebreos 5:12-14.

_____   _____

_____   _____

Piense un momento, si otra persona estuviera haciendo esta lista, ¿dónde aparecería el nombre **de usted?**

Resumen de la semana

Aunque Dios le ha dado el **intelecto,** Él no quiso que este se volviera la autoridad final de qué es correcto y qué está equivocado, qué es bueno o qué es malo. Su intelecto es solo un **instrumento** para que lo use en la búsqueda de la dirección de Dios.

Aunque Dios le permitirá tener experiencias significativas con Él, estas nunca se debieran adorar o exaltar. Ellas son solo el subproducto de su maravilloso compañerismo con Dios. Las experiencias pueden desvanecerse a medida que pasa el tiempo. Jesucristo es el mismo ayer, hoy y por los siglos. Usted nunca debe permitir que una preocupación con alguna experiencia reemplace su **compañerismo** con Cristo.

Algunas **tradiciones,** como el **intelecto** y las **experiencias,** pueden tener su raíz en la voluntad y el propósito de Dios. Sin embargo, cuando practica un ritual o una costumbre sin entender o creer en su valor, usted está **preso por la tradición.** Solo la sangre de Cristo puede liberarlo. Él ha venido para darle una **realidad** y no un simple **formalismo.** Una relación directa con Cristo es mejor que una que ha heredado de sus antepasados.

Así que regrese a **las Escrituras,** su autoridad final y perfecta. Es magnífico conocer que la Biblia tiene todo lo que necesita saber acerca de su fe y su vida cristianas. Ya que esto es cierto, ¿no le parece lógico que **ninguna parte de su vida cristiana es más importante que su estudio de las Escrituras?**

Los pastores proclaman las Escrituras y los maestros las explican porque creen en la autoridad final y perfecta de la Biblia. Usted sacará provecho de sus predicaciones y enseñanzas. Sin embargo, hay una relación más importante que debe tener con su Biblia: una relación **personal.**

Observe de nuevo las respuestas que dio al comienzo de su trabajo de hoy. ¿Qué dijo que necesitaba para prepararse para testificar de Cristo con eficacia? ¿Qué ajustes dijo que debía hacer en su vida para cultivar el hábito del estudio bíblico? Termine su hora devocional con una oración en la que se compromete a hacer esas cosas.

Su compromiso para hoy

Una mirada hacia atrás

Después de su estudio de esta semana, usted debe poder explicar con sus propias palabras por qué cada una de estas fuentes de autoridad son inadecuadas.

Experiencias, sentimientos y emociones: _____

_____

Tradición: _____

_____

Intelecto: _____

_____

Los compromisos diarios al final de los ejercicios de su hora devocional esta semana requieren que tome las decisiones y compromisos que pudieran cambiar su vida. Resuma aquí la más importante decisión que usted tomó y cómo espera que ella afecte su vida cristiana.

_____

_____

_____

_____

Una mirada hacia adelante

MUCHOS CRISTIANOS PERTENECEN A LA CATEGORÍA DE "CRISTIANOS MUDOS". NO SEA UNO DE ELLOS.

Cristo nos ha ordenado que prediquemos el Evangelio a las personas perdidas. Los cristianos que no testifican verbalmente quizás estén muy ocupados en la iglesia, pero por lo general no muy eficientes en llevar a otros a Cristo. La clase de testimonio que produce resultados es cuando deja que Cristo que vive en usted **obre junto** a su testimonio personal.

El tema para esta semana es:
5 El principio de 5 más 5

El principio de 5 más 5 es una manera muy fácil y práctica para dar testimonio a sus amigos perdidos. Si aprende y aplica el principio de 5 más 5, le puedo garantizar que aumentará la eficiencia con que obedece el mandato de su Señor de predicar el Evangelio. Además, obtendrá un mayor sentido de gozo y satisfacción al hacerlo.

DÍA 1:
Diez a los que puede ganar

Lea Filipenses 4:6; 1 Timoteo 2:1, 3-4, 8.

Mire su mano izquierda. Use los dedos de esa mano para contar cinco personas en su vida que no le permitirían darle a conocer la fe que usted tiene. Estas personas quizás sean frías, escépticas, desconfiadas, despreocupadas y hasta hostiles hacia lo que le gustaría decirle con respecto a Cristo y lo que Él ha hecho y está haciendo por usted. A pesar de su deseo de darles a conocer su fe para que lleguen también a convertirse a Cristo, ellos no están dispuestos a escuchar lo que usted quiere decirles.

Algunos no escucharán, otros sí

¿Hay algo que puede hacer para alcanzar a esas personas con el mensaje de Cristo? ¡SÍ! ¡PUEDE ORAR POR ELLAS!

Mire su mano derecha. Cuente con los dedos a cinco personas en su vida que le permitirían compartirle su fe en Cristo. Aún cuando ellas no estén listas para depositar su fe en Él, se asombran del cambio que Cristo ha hecho en su vida.

¿Hay algo que puede hacer para que esas personas confíen en Cristo? ¡SÍ! ¡PUEDE ORAR POR ELLAS Y HABLARLES DE SU FE!

Empleemos el día de hoy poniendo el fundamento para el principio de 5 más 5 en su vida. Ya ha identificado a diez de los que puede ganar. Ahora comprenderá la importancia de la oración para ganar en ambos, los que lo escucharán y los que no lo harán.

El poder de la oración es aún más importante que el hecho de testificar, porque el poder de la oración obra tanto en los que le dejarán compartir su fe en Cristo con ellos y sobre los que no lo harán. Un reconocido cristiano dijo una vez: "¡Usted puede hacer más que orar después de que ha orado, pero no puede hacer nada más que orar hasta que ha orado!"

El fundamento para ganar a nuestros amigos perdidos

Observe Filipenses 4:6. Este es su versículo bíblico para memorizar esta semana. Usted debe comenzar a memorizarlo ya. Según este versículo, ¿cuál es la opción a estar afanosos en cualquiera de las situaciones a las que se enfrenta en la vida?

_____

¿Qué **límites** pone este versículo acerca de las cosas por las que puede **orar**?

_____

El cristiano **puede hablar con Dios acerca de cualquier cosa**. Entonces, ¿qué es la oración? Nada más que **permitirle a Cristo usar su poder para obrar en un aspecto donde hay necesidad** en

su vida o en la vida de otra persona. Orar es su invitación a Cristo a que entre en ese aspecto donde hay necesidad. La respuesta a su oración no depende de su poder en la oración, sino del **poder de Cristo** para obrar sobre la necesidad. Por lo tanto, al orar por sus amigos que no son creyentes y que **no** le permiten compartir su fe con ellos está sencillamente **invitando a Cristo a obrar en sus vidas a pesar de la actitud de ellos hacia usted.**

Lea 1 Timoteo 2:1. En este versículo, ¿**por quién** exhorta el Apóstol Pablo que se ore?

Orar **por todas las personas** puede parecer bastante amplio y general. Dicho de otra manera, no hay persona por la que debe tener dudas para orar por ella; no importa la posición, las circunstancias, ni la actitud de esa persona. En 1 Timoteo 2:4 Pablo específica **dos razones** por las que Dios desea que usted ore. ¿Cuáles son?

Dos buenas razones para orar

1._____

2._____

Dos requisitos para orar

Si **Dios quiere que todos sean salvos y que todos conozcan la verdad**, usted debe entender de qué manera Dios quiere que suceda. En 1 Timoteo 2:8 el Apóstol Pablo menciona una cosa más que **Dios quiere**. ¿Cuál es?

_____

La mención de "**levantar las manos**" en 1 Timoteo 2:8 se refiere a una manera en que las personas generalmente oraban en los tiempos del Nuevo Testamento. Por lo general ellos no se arrodillaban, ni inclinaban sus cabezas como lo hacemos hoy. En su lugar, estaban de pie mirando hacia el cielo con las manos levantadas. Usted también puede orar de pie con sus manos levantadas hacia el cielo. Puede arrodillarse, sentarse o hasta puede orar mientras está haciendo otra actividad.

Lo que Pablo destaca no es la postura que tomamos para orar. ¿Qué cree que Pablo está diciendo que Dios espera de nosotros con respecto a la oración?

_____

_____

_____

_____

Una de las palabras clave es "**santo**".¿Recuerda de uno de los primeros estudios en "Sígueme Uno", que "**santo**" significa "**apartado**" o "**dedicado para un propósito especial**"? Primero que todo, Dios desea que nos comprometamos a orar. La oración debe ser algo natural y constante en su vida diaria.

La segunda clave es que quienes esperan orar eficazmente deben estar libres de enojo y de dudas. No debemos esperar estar en buenas relaciones con Dios si no lo estamos uno con el otro. Las actitudes y los sentimientos equivocados cambian las cosas. Lea Mateo 5:23-24. ¿Qué tuvo que decir Jesús con respecto a la relación entre nuestro acceso a Dios y nuestras relaciones con otros cristianos?

_____

_____

Piense de nuevo en su primer versículo bíblico para memorizar de esta semana. Espero que haga más que aprenderlo. Comience **ahora mismo** a ponerlo en práctica. Permítame sugerirle cómo.
Use el cuadro para enumerar los nombres de las diez personas que identificó al comenzar este

estudio. Ahora, medite en 1 Timoteo 2:8. ¿Hay algunos cambios que necesita hacer antes de que pueda ocurrir que el poder de la oración afecte a los que quiere que sean salvos?

_____

_____

Finalice su tiempo devocional con una oración comprometiéndose a hacer esos cambios con la ayuda de Dios. Después, ore por cada una de las personas que colocó en la gráfica. Ore por cada nombre, mencionando a cada uno y pídale a Cristo que comience a obrar en sus vidas.

Su compromiso para hoy

ESTOS AMIGOS NO ME DEJAN HABLARLES DE MI FE EN CRISTO

1. _____

2. _____

3. _____

4. _____

5. _____

ESTOS AMIGOS ME DEJAN HABLARLES DE MI FE EN CRISTO

1. _____

2. _____

3. _____

4. _____

5. _____

DÍA 2:
Cinco por los que solo puede orar

Lea Mateo 7:7-8; 17:20; 21:21-22; Santiago 1:5-8; Juan 6:37.

Cómo orar por los amigos perdidos

Ayer usted usó los dedos de su mano izquierda para identificar a **cinco personas que de momento no lo dejarían hablarles de su fe en Cristo.** Estas son personas por las que solo puede orar. Después usted usó los dedos de su mano derecha para identificar a **cinco personas que lo dejarían hablarles de su fe en Cristo.** Estas son personas por las que puede orar y testificarles.

Lea Mateo 21:21-22 y Santiago 1:5-8. A la luz de estos versículos, ¿tiende a sentirse desalentado, vacilante y con temor cuando piensa en orar por sus amigos perdidos para que sean salvos? Si es así, escriba a continuación la razón para sentirse de esa manera.

_____

_____

Las palabras exactas que usó no son importantes. La razón por la cual se siente vacilante o con temor para orar por sus amigos **es lo importante.** ¿Tiene temor de que su fe no sea lo bastante fuerte, o que obtenga una respuesta a esas oraciones por alguna otra razón? Lea Juan 6:37 y piense de nuevo acerca de orar por esos amigos que están perdidos. ¿Cuánta fe debe usted tener antes de que Jesús responda a sus oraciones? Encuentre la respuesta en Mateo 17:20 y escríbala a continuación.

_____

¿Cuánta fe es suficiente?

Jesús dijo que una fe tan pequeña como una semilla de mostaza era suficiente. Si su fe es lo bastante fuerte como para llevarlo a Jesús con su necesidad, ella es suficiente. Él ha prometido que honrará esa fe. Jesús **no echará fuera a nadie que confíe en Él.**

Si tiene la fe suficiente como para acercarse a Cristo con su incapacidad para ayudarse a usted mismo, Él se encargará de sus **dudas.** No piense que su fe es tan débil que no valdría la pena orar. **Recuerde:** ORAR ES SENCILLAMENTE PERMITIRLE A CRISTO USAR SU PODER PARA OBRAR EN UN ASPECTO DE NECESIDAD, EN SU VIDA O EN LA VIDA DE OTROS.

Si su fe es lo **bastante grande** como para pedirle que use su poder y se revele a las personas que mencionó en el **"5 más 5"**, ella es en realidad lo bastante grande. Su fe nunca es más fuerte que cuando admite su falta de poder y confía en Jesús para que use su infinito poder. Por eso, nunca piense que su fe puede limitar el poder de Cristo. ¡ORE! Es tan sencillo como darle al Señor el acceso a su necesidad. Vaya a Él en oración y haga lo que Filipenses 4:6 lo anima a hacer. ¿Ya memorizó ese versículo? Trate de escribirlo de memoria aquí.

_____

Al final de esta hora devocional, le pediré que ore por las primeras cinco personas de la lista "5 más 5" de ayer. En primer lugar, observe los tres aspectos de la oración que lo ayudarán a orar.

Tres aspectos de la oración

Lea Mateo 7:7-8. Con frecuencia describimos a la oración como "**hablar con Dios**". Estos versículos describen tres acciones distintas. Cada acción produce un resultado específico. Enumere las acciones y los resultados que las acompañan.

Acción	Resultado
1. _____	_____
2. _____	_____
3. _____	_____

¿Encontró fácilmente las respuestas correctas? Ahora medite en los tres verbos o acciones que se usan en Mateo 7:7-8.

Pida

Pedir implica requerir algo que ya conoce: "Señor Jesús, te pido que mi amigo **conozca de tu amor**". Usted ya sabe del amor de Cristo; sencillamente quiere que su amigo incrédulo confíe en Cristo y conozca ese amor como usted lo conoce.

Buscar, por otro lado, requiere de una respuesta acerca de algo que usted **no** conoce: "Señor Jesús, muéstrame qué puedo hacer para expresarle el amor tuyo a mi amigo. No sé que más debo hacer".

Busque

Llamar conlleva pedirle a Cristo que entre en el área de necesidad que está tras las puertas cerradas: "Señor Jesús, la íntima inmoralidad en la vida de mi amigo lo ha cerrado a tu vida. Abre la puerta de esa área de necesidad en él y muéstrale como puedes liberarlo".

Llame

Lea Mateo 7:9-11. Estos versículos hacen varias **comparaciones**. ¿Cuál es la más importante?

_____

La comparación más importante en Mateo 7:9-11 no tiene que ver con el pan, la piedra, un pescado o una serpiente. Más bien, es una comparación que entre la integridad y la compasión de un **padre terrenal,** y la integridad y la compasión del **Padre celestial.** ¿Qué seguridad le dan estos versículos de que el **pedir, buscar** y **llamar** en oración serán respondidos?

_____

Si los **padres terrenales** les dan a sus hijos lo que ellos piden, ciertamente podemos esperar que nuestro **Padre celestial** nos dé las cosas que pedimos. ¿Está de acuerdo que este es un buen resumen de la enseñanza de Mateo 7:9-11?

¿Qué le está pidiendo al Padre celestial que le dé cuando ora por los primeros cinco amigos perdidos? Sea práctico. Le está pidiendo al Padre que "le **dé**" **la salvación de estas cinco personas por las que no puede hacer otra cosa más que orar, ya que no desean que les hable de Cristo.**

Brevemente repase los tres aspectos de la oración que explicamos antes. ¿Qué puede pedir, buscar o llamar en su oración hoy por esas cinco personas?

Pedir, buscar, llamar

1. Nombre: _____

   Pedir: _____

   Buscar: _____

   Llamar: _____

2. Nombre: _____

   Pedir: _____

   Buscar: _____

   Llamar: _____

3. Nombre: _____

   Pedir: _____

   Buscar: _____

   Llamar: _____

4. Nombre: _____

   Pedir: _____

   Buscar: _____

   Llamar: _____

5. Nombre: _____

   Pedir: _____

   Buscar: _____

   Llamar: _____

La única manera en que descubrirá el poder de la oración para alcanzar a aquellos "inalcanzables" en su vida, es **orar** por ellos. Finalice su hora devocional pidiendo, buscando y llamando por cada uno de ellos. Comprométase a orar cada día. Luego espere los resultados de sus oraciones. Dios tiene su propio tiempo para responder y ¡**Él responderá!**

Su compromiso para hoy

DÍA 3:
Tres aspectos de la oración

Lea Mateo 28:18-20; 14:23; Marcos 1:35; Lucas 6:12; 22:39-41; Juan 14:13-14.

Orar es importante

El Apóstol Pablo sabía que **orar es importante**. Escriba a continuación lo que una vez dijo Pablo que comprueba que él sabía que orar es importante. ¿Puede escribirlo de memoria?

_____

_____

_____

— *Filipenses 4:6*

Orar es un ejercicio de fe

Ayer estudió algo que Jesús dijo que muestra la importancia de orar. ¿Puede resumir Mateo 21:21-22 en una oración gramatical? Si no lo recuerda, revise en el trabajo que hizo ayer.

_____

_____

Ahora lea Mateo 14:23; Marcos 1:35; Lucas 6:12; 22:39-41. Según estos versículos, ¿cuáles fueron los tres lugares **donde** Jesús oró?

1._____

2._____

3._____

Jesús oró **en los montes**, en **un lugar solitario y apartado**, y en el **Monte de los Olivos**. Oró **en la noche** y **temprano en la mañana antes que saliera el sol**. ¿Por qué cree que Jesús escogió tales lugares y momentos para orar?

Orar es estar con Dios

Lucas 22:41 debió darle una clave para responder. Jesús se alejó "como a un tiro de piedra" de sus discípulos. Jesús escogió **momentos y lugares** para poder estar **a solas** con el Padre. ¿Qué **palabras** y en **qué versículos** que leyó le dicen que la oración era un **hábito en la vida** de Jesús?

_____

¿Notó las palabras **"se fue, como solía"** en Lucas 22:39. ¿Cuál de los versículos le dice **por cuánto** tiempo a veces oró Jesús?

Orar es un hábito en la vida

Lucas 6:12 le dice que Jesús a veces oraba **toda la noche.** Piense en lo que esto significa: Jesús vivió en permanente comunión en oración con Dios el Padre. Sin embargo, Él encontró necesario alejarse de las presiones de la vida, en tiempos específicos y lugares especiales para orar. A veces hasta oró por horas. Según el hábito de orar de Jesús, ¿a qué conclusión puede llegar con respecto a la vida de oración suya?

_____

_____

_____

_____

Orar es una prioridad

Para crecer en Cristo es esencial que ponga en orden sus prioridades. Antes de que le diera al Cristo que vive en usted el completo control, hizo muchas cosas que ahora no hace porque no **tienen prioridad.** Puesto que sus viejos hábitos aún lo atrapan, puede necesitar reestructurar su tiempo de manera deliberada para dedicarse a orar. ¿Cuándo y dónde ora —u orará— por sus amigos inconversos? Esto es tan importante que quizás **necesita pensarlo hoy... ¡y cambiarlo cuanto antes!**

Ayer estudió lo que dijo Jesús en Mateo 7:7-8 acerca de pedir, buscar y llamar. Ahora lea lo que dijo en Juan 14:13-14. Cada uno de estos versículos le expresa la manera en que debe pedir mientras ora. ¿En el nombre de quién debe usted orar?

_____

Cuando usted hace su petición en el nombre de **Jesús,** ¿el glorioso poder de quién comienza a obrar?

_____

Dios el Padre, quien es Todopoderoso, **se glorificará en Cristo el Hijo** cuando usted ora en el nombre de Jesús. Lea Mateo 28:18-20. Según el versículo 18, ¿**cuánto poder** se manifiesta al orar en el nombre de Jesús?

"Toda potestad me es dada en el cielo y en la tierra". ¡Qué afirmación más asombrosa! ¡Y qué asombroso poder el que está a su disposición cuando ora en **el nombre de Jesús!**

Aprenda una lección del **principio de 5 más 5.** Es posible que encuentre que es más fácil orar por **los que dejan que les hable de su fe en Cristo,** que por **los que no le dejan.** ¿Se debe esto a que los que no le dejan que les hable de Cristo son más difíciles de alcanzar?

¡ESPERE UN MOMENTO! ¿SON EN REALIDAD MÁS DIFÍCILES DE ALCANZAR? Rechace esa idea. Recuerde que Cristo es el que los alcanza. Lo que usted piensa que es

Orar es confiar en el poder de Cristo

¡Un poder asombroso a su alcance!

¡No tenga temor de orar por las personas difíciles!

"difícil" o "fácil", es completamente diferente para Dios. Pensar que una persona es "difícil de alcanzar" más que otra solo limita su vida de oración. Cuando ore **en el nombre de Jesús** por esos amigos, Aquel a quien estás invitando a entrar en sus vidas tiene toda potestad **en el cielo y en la tierra.**

¿Le interesa a un tornado que barre a través del bosque que algunos árboles sean de madera dura y otros de madera blanda? Claro que no. El poder del tornado es mucho más grande que cualquier madera blanda o dura.

Su compromiso para hoy

No subestime el poder de sus oraciones. Cuando le pidió al Señor que entrara en su vida, nunca dudó de la capacidad de Él para hacerlo. ¡Él puede hacer mucho más de lo que le pide o cree! Todo el poder del universo descansa en su nombre.

Antes de terminar su hora devocional, trate de completar el dibujo de la mano. En la página 4 usted puede revisar su trabajo.

Al orar por sus amigos perdidos pone en acción el poder de Dios en sus vidas. Nada de lo que haga sería más importante que eso. ¿De qué manera pudiera eliminar, reajustar o cancelar en el horario de sus actividades de la semana para poder tener un momento y lugar especiales para orar por ellos?

_____

¿**Cuánto tiempo necesitará** para pedir, buscar y llamar por cada uno de esos amigos?

_____

¿**Combinará** la oración por estos amigos con su hora devocional diaria o fijará **otro momento** para orar por ellos?

_____

¿**Cuándo** y **dónde** orará por estos amigos?

_____

Termine su hora devocional comprometiéndose a apartar tiempo para orar por sus amigos que no conocen a Cristo.

DÍA 4:
Cinco a los que les puede testificar

Lea Hechos 1:8; Juan 15:26-27.

Mantenga sus manos llenas de amigos inconversos

Por el resto de su vida, mantenga los diez dedos en sus dos manos llenos con nombres de inconversos. A medida que sirva a Cristo, siempre tendrá **cinco personas** por las que estará **orando**, y cinco a las que les estará **testificando**.

El significado fundamental de la palabra "testigo" es **"alguien que suministra evidencia"**. Testificar no es predicar. Tampoco es enseñar la Biblia. Es **dar evidencia.** Usted cree en Cristo como su Salvador y Señor, y Él vive en usted. Como resultado, su personalidad tiene "un ingrediente añadido" que es evidente a los que lo rodean. Ese "ingrediente añadido" es Cristo, que hace fluir su amor por medio de usted.

Encargos, compromisos y promesas

Jesús estaba hablando con sus seguidores poco antes de regresar al cielo. Él les hizo un **gran encargo**, les dejó un gran **compromiso**, y les hizo una **gran promesa**. Los podemos encontrar en Mateo 28:18-20.

A propósito, este es su segundo pasaje bíblico para memorizar esta semana. Escríbalo en las siguientes líneas y comience a memorizarlo ya.

_____

Marque con una X en el margen al lado del gran encargo que hizo Jesús. Usted estudió este encargo ayer cuando aprendió acerca del gran **poder** de la oración.

Si encontró el **gran encargo** que Jesús hizo en la primera parte de Mateo 28:18-20, ahora subraye la **gran promesa** que Él hizo en la última parte de estos versículos. Todo lo que está en el medio es el **gran compromiso** que Cristo hizo a todos sus seguidores. A veces se le llama "**La Gran Comisión**".

En Hechos 1:8 puede encontrar otra importante **promesa** y otro **compromiso** que Jesús dio a sus seguidores poco antes de terminar su ministerio en la tierra. Lea ese versículo en este momento. Según Jesús, ¿qué debe haber ocurrido **antes** para que un cristiano comience a testificar?

_____

¿Por qué era necesario para los seguidores de Jesús **recibir el Espíritu Santo**?

En Hechos 1:8 Jesús nombró lugares geográficos en los que sus seguidores debían ser testigos con el **poder del Espíritu Santo**. Él comenzó con

El princi-
pio de Jesús
para
testificar

Jerusalén, la ciudad donde ellos estaban en aquel momento. Luego se refirió a los lugares más alejados. Observe los cuatro círculos que aparecen debajo a la izquierda. El círculo más interno ya se ha llenado. Complete los otros extendiéndose hacia afuera según la instrucción de Jesús dada en Hechos 1:8.

El principio de Jesús para testificar sigue siendo el mismo. Escriba el nombre de su ciudad o pueblo en el círculo más interno a la derecha. Escriba el nombre de su estado, provincia o departamento en el círculo siguiente. Y el nombre de su país en el tercer círculo. En el círculo exterior escriba las mismas palabras de Hechos 1:8 que puso en el círculo exterior de la izquierda. ¿Está de acuerdo con que este sería su **lugar más lejano** de testimonio?

Lea Juan 15:26-27. Basándose en estos versículos y en Hechos 1:8, ¿cuál es el **factor más importante** que se requiere para ser un testigo de Cristo?

El factor
más
importante

_____

Lea Hechos 2:13-18 y Efesios 5:18. ¿Qué **comparación** se hace en ambos pasajes?

_____

Ambos pasajes comparan **el tomar vino** con el **ser llenos del Espíritu Santo**. Ahora lea la historia completa en Hechos 2:1-18.

La analo-
gía entre
"no bueno" y
"muy bueno"

¿Cuál era el **ingrediente esencial** en el testimonio de estos cristianos?

_____

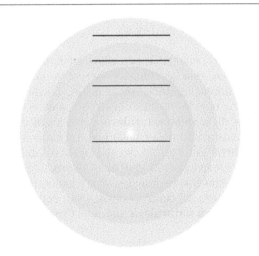

¿Escribió que el **ser llenos del Espíritu Santo** era el ingrediente esencial? Ahora lea con detenimiento las siguientes dos afirmaciones. Piense de nuevo en Hechos 2:1-18. Marque la afirmación correcta.

Di¿Lleno de vino o del Espíritu?

❑ El Espíritu Santo sencillamente le dio a esas personas una nueva **experiencia interior**, y no esperaba que la contaran. El llevar un "**cristianismo mudo**" era suficiente.
❑ La primera obra del Espíritu Santo, al llenar a estas personas, fue darles la posibilidad de que **dieran su testimonio** a los incrédulos para que toda persona pudiera **escuchar** acerca de Cristo.

La respuesta correcta fue fácil, ¿verdad? Pero los espectadores de Hechos 2 pensaron que los creyentes llenos del Espíritu Santo estaban ebrios. Pedro tuvo que explicarles que estaban llenos del Espíritu de Dios, no de vino.

¡No bueno!

Cuando las personas beben vino o cualquier bebida alcohólica, esta las controla. Pierden toda restricción o limitación. Dicen cosas que no las dirían de no estar bajo los efectos del alcohol, y caen en los deseos de la **vieja naturaleza**. Pablo les dice a los cristianos que no deben dejar que esta clase de cosa les ocurra. En lugar de eso, deben estar tan llenos con el Espíritu Santo, que pierdan sus temores e inhibiciones que les impiden vivir y hablar de su fe. Están "fuera de control" porque son controlados por la **nueva naturaleza** que es el Cristo que vive en ellos.

¡Muy bueno!

Alguien ha dicho: "El hipócrita más grande del mundo es el que dice: No tengo que hablarle a otros de Cristo, lo único que tienen que hacer es observar mis acciones y sabrán que soy un cristiano". ¡El viejo EGO! ¡Cómo le gusta protegerse para no ser descubierto! Pero si el **yo** no es más el rey y **Cristo reina**, usted hablará de Él.

Quizás se pregunte: "Pero ¿qué hay en mi vida que pueda ser importante para un inconverso?" Lo importante es que usted ha pasado de muerte a vida. El Espíritu de Cristo ya vive en usted y lo llena constantemente a petición. **Recuerde**: un testigo es alguien que da evidencia. Usted tiene mucha evidencia para dar porque Cristo vive en usted.

Su compromiso para hoy

Sus cinco amigos que son receptivos a que le hable de Cristo están curiosos por conocer ese "ingrediente añadido" en su vida. ¡No tenga miedo! Tome ahora la determinación de compartir con ellos el testimonio que preparará mañana. Escriba sus nombres en el margen inferior de esta página. Determine a qué hora en los próximos siete días le dará su testimonio a cada uno de ellos.

Finalice su hora devocional en oración por esos cinco amigos.

DÍA 5:
Como expresar su fe

Lea Romanos 1:16; Hechos 22:1-15; 26:9-20; Mateo 9:10-13; 1 Corintios 9:19-23.

¿Recuerda del estudio de ayer que cuando usted **testifica**, está **dando evidencia**? ¿Pero cuál es la evidencia que le puede presentar a sus amigos inconversos?

Usted tiene la evidencia de una **vida cambiada**, de **Cristo que vive en usted y lo controla todo**. Pero necesita **expresar** ese testimonio, decirle a otros quién es Cristo, qué ha hecho Él por usted y cuánto Él significa para usted.

La evidencia que usted presenta

El Apóstol Pablo sabía cómo **expresar su testimonio**. Además, lo hizo en cada oportunidad que tenía que alguien lo escuchara. Lea en voz alta estas palabras que Pablo escribió en una ocasión: "Porque no me avergüenzo del Evangelio, porque es poder de Dios para salvación a todo aquel que cree". ¿Puede usted con sinceridad hacer la misma afirmación de Pablo en Romanos 1:16?

La evidencia de Pablo

Las Escrituras registran al menos dos ocasiones en las que Pablo dio su testimonio. Lea Hechos 22:1-5 y Hechos 26:9-20. Observe que en cada caso, la evidencia que dio Pablo fue **su propia experiencia de conversión**. En ambos casos, mencionó **cuatro cosas** con respecto a esa experiencia. Ellas se

mencionan y enumeran en la gráfica en esta página. En estos dos pasajes que leyó, Pablo expresó su testimonio acerca de cuatro cosas en el mismo orden en que aparecen en el cuadro. Considérelas en las columnas separadas para cada pasaje. En la columna de cada pasaje, enumere los versículos que contienen cada punto que Pablo dijo de su conversión.

	HECHOS 22	HECHOS 26
1. Pablo no siempre había seguido a Cristo.	vv. 3-5	vv. 9-12
2. Dios comenzó a tratar la rebelión de Pablo.	_____	_____
3. Pablo recibió a Cristo como su Señor.	_____	_____
4. La nueva vida de Pablo se centró en los propósitos de Dios.	_____	_____

RESPUESTAS	
HECHOS 22	**HECHOS 26**
vv. 3-5	vv. 9-12
vv. 6-9	vv. 13-18
vv. 10-13	v. 19
vv. 14-15	vv. 19-20

Su evidencia

Se sorprenderá al descubrir cuán pocos incrédulos han escuchado a un cristiano dando la clase de testimonio que Pablo dio. Cada experiencia de conversión es diferente de las demás. Por lo tanto, su propio testimonio de cómo conoció a Cristo es **personal** e **individual**. Esa es la **evidencia** que solo usted puede dar. Ninguna persona jamás la vivirá de igual manera.

Aunque su experiencia de conversión es única, quizás pudiera ser **resumida** de la misma manera que Pablo resumió la suya. En realidad, el resumen debe serle familiar para usted si ha estado estudiando "Sígueme Uno" en grupo. Incluso, ya lo ha comenzado a hacer cuando tuvo que desarrollar su testimonio. ¿Observó la similitud entre el bosquejo de Pablo y el que usted usó al principio para desarrollar su propio testimonio?

Al finalizar su hora devocional ayer, le pedí que se comprometiera a un tiempo definido para testificarle a las cinco personas que están dispuestas a escucharlo. Ha tenido veinticuatro horas desde que hizo ese compromiso. ¿Los ha llamado y ha acordado un día, una hora y un lugar para que se encuentren? Muy bien si lo ha hecho. Si aún no lo ha hecho, quiero que lo haga **ahora mismo** antes de terminar su hora devocional. Haga esos contactos. Sencillamente pídales que le den treinta minutos porque quiere decirles acerca de la más maravillosa e interesante cosa que le ha sucedido en su vida. Después finalice su hora devocional.

Use las líneas a continuación como si fueran su hoja de trabajo para escribir su testimonio en forma breve, concisa y comprensible. Si está estudiando en grupo y ya ha trabajado en su testimonio, revíselo una vez más.

1. MI VIDA Y MIS ACTITUDES ANTES DE CONOCER A CRISTO:

_____

_____

_____

2. CÓMO ME DI CUENTA DE QUE DIOS ME ESTABA HABLANDO:

_____

_____

_____

3. CÓMO ME CONVERTÍ A CRISTO:

_____

_____

_____

_____

4. QUÉ SIGNIFICA PARA MÍ SER UN CRISTIANO:

_____

_____

_____

_____

El toque personal

Recuerde cuando recibió a Cristo. Buena parte de su decisión de confiar en Cristo se debió a la influencia de una o más personas en su vida, ¿no es así? No hay sustituto para el toque personal para traer a los perdidos a Cristo.

Lea Mateo 9:10-11. ¿Qué **críticas** le hacían a Jesús?

_____

¿Por qué cree que Jesús se arriesgó a la crítica al tener **trato personal** con los que otros consideraban inaceptables? Lea Mateo 9:12-13 antes de responder.

_____

Jesús vino a **llamar a pecadores al arrepentimiento**. Él tuvo **misericordia** o **compasión** para los que estaban **espiritualmente enfermos**. Ahora lea lo que escribió el Apóstol Pablo en 1 Corintios 9:19-21. ¿Cuál de las siguientes declaraciones es la que Pablo quiere decir?

❏ "No importa con quien me relacione".

❏ "Estoy de acuerdo con lo que cualquiera diga".

❏ "Deliberadamente cultivo mis amistades con diferentes clases de personas, así ellos tendrán suficiente confianza en mí para escuchar mi testimonio".

La última declaración es el enfoque de Pablo al hacer amigos. ¿**Por qué** pensaba Pablo que este enfoque era necesario? Lea 1 Corintios 9:22-23 antes de responder.

_____

Pablo sabía que no todo aquel que fuera su amigo recibiría a Cristo. Pero él debía cultivar la amistad con todas las personas con la esperanza de alcanzar a cuantos fuera posible.

Es interesante que en el libro de los Hechos no se registra ni una sola vez que una persona haya conocido a Cristo sin la ayuda de otro cristiano. Observe de nuevo su mano derecha. Esas cinco personas están listas para que las alcance. Decida ahora que **usted mismo** las alcanzará. Es una inversión de tiempo más que justificado. Debe invertir tiempo con genuino y preocupado interés por ellos. Usted es el canal a través del que Cristo puede hacer fluir su amor hacia ellos. No podrán escapar al efecto del Cristo que vive en usted.

Su compromiso para hoy

Una mirada hacia atrás

Su repaso de esta semana es un ejercicio para completar y un crucigrama. Puede llenar los espacios en blanco si recuerda los puntos más importantes que estudió esta semana. Las palabras en los espacios en blanco son las que usted debe poder encontrar en el crucigrama. La solución se encuentra en la página 127.

1. El tema de la semana fue el principio de _____
2. Su mano izquierda le recuerda a cinco personas por las que puede solo _____
3. Su mano derecha le recuerda a cinco personas por las que puede orar y _____
4. El elemento más importante en dar testimonio es _____
5. "Santo" significa _____
6. El mandato a "levantar manos santas" significa que debemos se ____ para orar
7. Tres acciones diferentes al orar por los perdidos son _____, _____, _____
8. Orar es un ____ ejercicio
9. Orar es estar con _____
10. Orar es una _____ norma
11. Orar es confiar en el _____ de Cristo
12. Un testigo debe estar lleno y autorizado por el _____ _____
13. Un testigo es alguien que da _____
14. Algo que un incrédulo no puede negar o argüir en contra es de su _____

```
E P U K S U J A M D I B E A M R D
H R A I C N E D I V E K C G J A E
D I B E E P U K S U J A M K M R D
I R P G R B K T Q N H P I A P Z I
R O P O D E N P V V I A L E Y U C
O I D I D I O S R I I L T S B V A
H R A I C E R D T D D K C P C I C
P F I J M P R Q V A C H C I A B I
D A E W D I M R C O R T N R R U O
A T D O O S J S N I W C M I I F N
D I B E E P U K R U O A M T I O B
I R R G R B K O Q Y R P I U L D O
R O P F D E P P C M A A T S T A A
O I D I E R O I R X C T T A G R S
I R D S A A N L F A I E E N A A O
R E K R I C R I S T O S D T L P R
P S O R O F Y A R P N E Q O X E H
T E S T I F I C A R A E R R T S O
F E X P E R I E N C I A O D E X Z
```

CUADRO DEL CURSO

SEMANA	OBJETIVOS	PELIGRO	CURA Y CRECIMIENTO
SEMANA FUNDAMENTO	Desarrollar hábitos, actitudes y compromisos que aseguren el crecimiento cristiano	Tener una vida sin un fundamento adecuado para el crecimiento cristiano	Cristo vive en usted y lo controla todo
SEMANA 1	Aprender a vivir en una nueva relación	Volverse un cristiano solitario	1 Cuerpo: Ser una parte de él
SEMANA 2	Aprender a manejar sus conflictos internos con el pecado	Confiar demasiado en sí mismo o tratar de "fingir" la vida cristiana	2 Naturalezas: Darle cada día el control al Espíritu Santo
SEMANA 3	Resolver las dudas acerca de su experiencia con Cristo	Dejar de crecer como cristiano	3 Aspectos de la salvación: Un largo camino de vida durante toda la vida
SEMANA 4	Descubrir una autoridad digna de confianza para encontrar la verdad y tomar decisiones	Caer en la trampa de líderes falsos y causas falsas	4 Fuentes de autoridad: Considerándolo todo a través de las Escrituras
SEMANA 5	Aprender a compartir de manera eficaz la fe con los perdidos	Volverse un cristiano "mudo"	5 El principio de 5 más 5: Un plan personal para dar a conocer nuestra fe en Cristo

Reunión de orientación

La reunión de orientación es un encuentro breve para darle a los miembros sus ejemplares de "Sígueme Uno", explicarles cómo es el curso y delinearles lo que se espera que hagan durante el estudio. Esta reunión debe llevarse a cabo por lo menos una semana antes de la primera reunión regular del grupo. De ser posible, tenga esta reunión a la misma hora y en el mismo lugar que serán los encuentros semanales. No obstante, se puede tener en otro lugar y en otro momento y debe alargarse solo lo estrictamente necesario.

La preparación para la reunión

1. Comuníquese con todas las personas que participarán en el grupo. Entrégueles información sobre la hora y el lugar de la reunión y confirme de nuevo sus planes de asistir.
2. Escriba el nombre y la dirección de la persona en el libro de "Sígueme Uno". Tenga algunos ejemplares de más por si vienen nuevos participantes.
3. Prepare un cartel de bosquejo de testimonio según se muestra.
4. Recorte hojas de papel de la misma medida que el libro de "Sígueme Uno". Tenga más preparadas que participantes en el grupo.

Mi testimonio

1. Mi vida y mis actitudes antes de convertirme a Cristo.
2. Cómo me di cuenta de que Dios me estaba hablando.
3. Cómo me convertí a Cristo.
4. Qué significa para mí ser un cristiano.

---

5. Prepare su propio testimonio usando el bosquejo anterior.
6. Acomode el aula de manera informal así los participantes se sentirán cómodos y podrán verse unos a otros.

7. Prepare algo ligero para merendar.
8. Prepare las tarjetas para la matrícula en las que los participantes escribirán sus nombres, direcciones y números telefónicos.
9. Tenga lápices, marcadores y etiquetas para el nombre.

Cómo dirigir la reunión

1. Sirva la merienda a los participantes a medida que llegan y pídales que escriban sus nombres en las etiquetas y que completen las tarjetas de matrícula.
2. Preséntese a sí mismo, cuánto hace que es cristiano y exprese brevemente por qué está dirigiendo este curso.
3. Pídales a los participantes que se presenten ellos mismos, que digan cuánto hace que son cristianos y por qué razón están tomando este curso.
4. Distribuya los ejemplares personalizados de "Sígueme Uno". En caso de que alguno no lo tenga preparado, complételo mientras se presentan.
5. Dé a conocer su testimonio personal que ha preparado. Luego, muestre el cartel Mi Testimonio Personal. Distribuya las hojas de papel que preparó. Pídales a los participantes que copien el bosquejo para testimonio y lo pongan en la cubierta interior de su "Sígueme Uno".
6. Dirija a los participantes a leer el primer párrafo de la página 3.
7. Pídale a un participante que lea Juan 17:1-26. Luego, dirija al grupo para completar juntos el ejercicio que comienza al lado del recuadro "Cómo hacer personal la promesa de Jesús". Preste atención al párrafo que aparece al final del ejercicio.
8. Dígales algo así: "Ya sea que su vida cristiana haya comenzado hace una semana o hace muchos años, Satanás hará todo lo posible por derrotarlo. Este estudio le ayudará a estar mejor preparado y combatir los ataques de Satanás". Luego, use el cuadro que está al final del libro para darle un vistazo al curso.

9. Explique la importancia de la hora devocional diaria y muéstreles que los ejercicios de "Sígueme Uno" se deben usar en la hora devocional durante las seis semanas que los participantes estarán estudiando "Sígueme Uno".

10. Asegúrese de que los participantes entiendan qué se espera de ellos.

Los participantes deberán:
- Hacer todo el esfuerzo posible para asistir a las reuniones del grupo. Si tienen que faltar deberán comunicarse con usted para poder ver cómo recuperar lo que se hizo en la reunión.
- Completar el trabajo para cada día en "Sígueme Uno".
- Aprender los versículos bíblicos para memorizar. (Llámeles la atención a las tarjetas para la memorización bíblica en la página 126 y sugiérales cómo usarlas).

11. Explique durante las próximas seis semanas que los miembros del grupo nos comprometemos unos con otros y con el estudio. Pídales a los participantes que hagan un pacto unos con otros. Permítales que sugieran qué se debe incluir en el pacto, tal como hacer las tareas diarias del "Sígueme Uno", ayudarse unos a otros, pedir ayuda, compartir preocupaciones y asistir a todas las sesiones. Cuando el grupo llegue a un acuerdo de los puntos que se incluirán, fije una hoja en la pared y pídale a los participantes que lo ayuden a organizar y escribir el pacto. Explique que cada persona recibirá una copia del pacto en la primera reunión regular del grupo y que los miembros deben firmarse unos a otros su pacto.

12. Asegúrese de que los participantes saben la fecha, la hora y el lugar de la próxima reunión del grupo. Explíqueles que usted entiende si alguno quiere tomar el curso más adelante.

13. Explíqueles que los participantes deben completar los ejercicios diarios para "La semana fundamento" antes de la próxima reunión del grupo. Recalque la importancia de hacer los ejercicios cada día y que determinen un tiempo para ese propósito. Además, pídales que le escriban un primer borrador de su propio testimonio según las indicaciones del cartel.

14. Permítales que expresen sus intereses o preocupaciones y concluya con una oración.

Primera sesión
Semana fundamento

Meta de la sesión: Al terminar esta sesión los participantes habrán considerado los problemas y las alegrías que experimentaron para establecer una hora devocional. También habrán considerado las diferencias que han notado en sus vidas.

Cómo prepararse para dirigir la sesión

1. Inmediatamente después de la reunión de orientación, comuníquese con los que se matricularon en el curso y determine con ellos el trabajo que deben realizar cada día antes de la primera reunión del grupo. Si hay algunos de ellos que no planean tomar el curso en este momento, aliéntelos a que lo hagan tan pronto les sea posible.

2. Prepare copias de la lista de participantes, incluyendo nombres, direcciones y teléfonos.

3. Prepare copias del pacto del grupo, pero deje la mitad inferior de la hoja en blanco para que lo firmen. De ser posible, prepárelos en hojas de la misma medida del libro "Sígueme Uno".

4. Tenga preparados papel para escribir grande, marcadores, cinta adhesiva y lápices.

5. Ponga en un lugar visible el cartel de bosquejo de testimonio.

Cómo dirigir la sesión

1. Pregúnteles cómo aprenden a buscar los pasajes en la Biblia. Dé tiempo para que respondan. Luego pídales que practiquen buscar un pasaje juntos. Muéstreles el índice en el comienzo de la Biblia para que encuentren la página en que empieza 2 Corintios. Después que busquen 2 Corintios 5:17.

2. Pídale a un participante que lea en voz alta el pasaje mientras que los otros lo siguen con la vista en sus Biblias. Pregunte: ¿Quién tiene una traducción distinta de este versículo? ¿En qué es diferente? Dé tiempo para que respondan.

3. Pregunte: ¿Cuáles son algunas cosas que han sido nuevas o distintas en sus vidas durante esta semana debido al trabajo que están realizando en "Sígueme Uno". Dé tiempo para que respondan. Pídale a un voluntario que ore dándole gracias a Dios por el cambio que realiza en la vida de los cristianos.

4. Llame la atención del grupo al cartel de bosquejo para testimonio y pídales a los participantes que por turno lean sus testimonios al grupo. Sea comprensivo y aliéntelos. Explíqueles que el propósito de este ejercicio es ayudarlos a tener más confianza en sí mismos al dar sus testimonios y ayudarlos para que este sea tan claro y comprensible como sea posible.

5. Pida a los participantes que vuelvan a escribir sus testimonios antes de la próxima sesión para que sean más comprensibles.

6. Distribuya copias del pacto del grupo. Después que todos lo lean en voz alta, cada uno debe firmar el pacto del otro. Luego, cada uno lo pondrá en la contraportada de su libro.

7. Pida a los participantes que le digan cómo han usado las tarjetas de memorización bíblica esta semana. Luego, diríjalos a repetir juntos el versículo. Felicítelos por haber memorizado lo asignado y aliéntelos a que continúen haciéndolo.

8. Dibuje una mano sobre la pizarra o en la hoja de papel. Pida a los participantes que recuerden lo que debe escribirse en la palma de la mano y escriba la respuesta correcta en ella.

9. Recalque la importancia de la hora devocional. Pida a los participantes que subrayen los principios de la hora devocional que se encuentran en la página 7 de "Sígueme Uno". Pregunte: ¿Cuál de estos principios les resulta más difícil? Sea comprensivo y aliéntelos, no critique. Pida que den a conocer otras formas para tratar con las dificultades que encontraron. Men-

cione el principio número cinco si nadie lo hace. Explique que meditar en las Escrituras es una de las mejores maneras en que le permiten a Dios que les hable. Señale las preguntas que se sugieren para guiar la meditación en la página 9. Aliente a los participantes a que apliquen este principio en la semana y se preparen a contar cómo les fue.

10. Pregunte: ¿Qué descubrieron en esta semana pasada mientras estudiaban su Biblia?

11. Pregunte: ¿De qué manera afectó las decisiones que tomaron en esta semana el hecho de que Cristo controla ahora su vida?

12. Ayúdelos a entender que Satanás no se les aparece como un monstruo horrible al que les sería fácil reconocer y rechazar. Él se manifiesta de la manera más preciosa y atractiva posible. A menudo las opciones que les ofrece a los cristianos son buenas, pero no las mejores, no las que Dios desea para ellos.

13. Llámeles la atención hacia la gráfica del curso (p. 107) y señále en la gráfica hasta dónde ha llegado el grupo esta semana. Use los datos de la Semana 1 para presentar el estudio de la semana próxima. Destaque de nuevo la importancia de realizar los ejercicios cada día y de tener la hora devocional cada día. Asígneles estas tareas para la próxima sesión: (1) Memo-rizar el pasaje bíblico asignado. (2) Buscar algo que descubrir en el estudio y meditación de la Biblia. (3) Volver a escribir su testimonio para que sea más claro y sencillo. (4) Memorizar los testimonios personales. (5) Estar preparados para informar qué pensaban antes de convertirse a Cristo cuando escuchaban las palabras *denominación, iglesia, bautismo y santo.*

14. Distribuya la lista de los participantes. Dígales que les servirá para mantenerse en comunicación unos con otros y como una cadena de contacto. Explique que a principio de semana llamará al primero de la lista para conversar brevemente

sobre este estudio y considerar preguntas de interés. Luego, esa persona debe llamar a la que sigue en la lista, y así sucesivamente hasta completar la cadena.

15. Pida a los miembros que den a conocer sus motivos de oración. Pida a un voluntario que dirija al grupo en oración y recuerde las peticiones que se han dicho y pida a Dios que bendiga el trabajo del grupo y el compañerismo durante el curso.

Segunda sesión
Semana 1: 1 Cuerpo, su vida y su servicio

Meta de la sesión: Al terminar esta sesión cada participante será capaz de explicar en qué sentido la iglesia es un cuerpo y en qué otro sentido es un edificio. Podrán explicar el propósito de los dones espirituales e identificar al menos un don que ellos tienen. También serán capaces de determinar por qué el cuerpo necesita de cada miembro y por qué cada miembro necesita del cuerpo.

Cómo prepararse para dirigir la sesión

1. Comience una cadena de oración dentro de los dos días siguientes a la reunión del grupo. Si no ha recibido confirmación que está completa en tres días, localice dónde está rota la cadena y reiníciela en ese punto.
2. Prepare un cuadrado de seis pulgadas cuadradas de papel de aluminio para cada persona del grupo.
3. Tenga una hoja de papel de construcción de color y unas tijeras para cada participante.

Cómo dirigir la sesión

1. Exprese gratitud y alegría por el trabajo que están haciendo los participantes. Luego pida motivos de alabanza y preocupación que los miembros del grupo desean dar a conocer. Después de un corto período de intercambio de ideas, diríjalos en una oración de acción de gracias y petición.

2. Pídales que observen la gráfica del curso en la página 107 en la que le mostró esta sesión.
3. Diríjalos a trabajar en parejas (si hay esposos, que trabajen por separado) para: (1) Repetir el pasaje bíblico de memorización, (2) compartir de memoria sus testimonios vueltos a escribir, (3) considerar algún ejercicio de "Sígueme Uno" con el que hayan tenido dificultad durante la semana anterior.
4. Reúna al grupo y considere cualquier pregunta que pudo quedar en el trabajo por parejas.
5. Pregunte y considere: ¿Encontraron difícil o fácil que Dios les hablara durante la hora devocional? ¿Qué dificultades experimentaron? ¿Cómo las manejaron? Pida a voluntarios que den a conocer lo que Dios les dijo mientras meditaban en las Escrituras la semana pasada.
6. Pídales que lean las respuestas cuando no eran cristianos a las palabras *denominación, iglesia, bautismo y santo*. Permita que participen y hagan preguntas. Asegúrese de que entiendan correctamente el significado de esas palabras.
7. Pregunte: ¿Cómo definirían a un cristiano "solitario"?
8. Distribuya hojas de papel de construcción y las tijeras. Pídale a cada participante que recorte alguna parte del cuerpo como la cabeza, un brazo, un pie, etc., que luego armarán y que guarde una parte en secreto. Después que hayan recortado las partes del cuerpo, recójalas y déselas a un miembro. Pídale que forme un cuerpo humano con dichas partes. Ayúdelos a ver lo humorístico y la imposibilidad en el resultado final.
9. Use la actividad anterior para enseñar que Dios no hizo a su iglesia de esta manera. Pídale al grupo que repita de memoria el versículo de esta semana y que considere lo que significa la manera en que Dios une a la iglesia, el cuerpo de Cristo. Durante la discusión recalque que cada parte es un regalo colocado según las necesidades de la iglesia. Todos están unidos al cuerpo y son usados en el mismo por amor.

10. Pídales a los miembros que compartan algunas ideas nuevas que aprendieron acerca de los dones espirituales.

11. Distribuya las hojas de papel aluminio y pídales a los participantes que hagan un símbolo que represente algún don que posean en este momento. Por ejemplo: una moneda para representar el don de repartir, un libro para el de conocimiento, una toalla para el de servicio. Si alguien tiene dificultades para encontrar un símbolo puede sencillamente hacer una caja o una taza que represente un recipiente para el don.

12. Después que expliquen los símbolos, recójalos. Pida que expresen cuál sería su reacción si se deshicieran sus símbolos. Con delicadeza haga una pelota con los símbolos. Explique que al hacer esto está construyendo, no destruyendo.

13. Si no dicen nada, diga: ¡A ver! ¿Qué están pensando? Alguno dirá: "Usted destruyó mi don". Otro puede decir: "Usted echó a perder mi don". Dirija al grupo a observar que la pelota es la iglesia y los dones construyen la iglesia pero no permanecen solos, al formar parte de la pelota (el cuerpo, la iglesia) ellos tienen significado. Los dones se dan a individuos para ser usados en la iglesia para ministrar a las necesidades de los otros al ser usados por la iglesia para hacer la obra de Cristo.

14. Pídale al grupo que sugiera cómo pueden usar sus dones para servir a otros y ayudar a la iglesia a llevar a cabo la obra de Cristo. Escriba las respuestas en la pizarra.

15. Diga: La mayor parte del estudio de esta semana fue acerca del sentido de la iglesia como un cuerpo. Pero también estudiamos otra manera en que las Escrituras describen a la iglesia. ¿Cómo explicaría el sentido que tiene la iglesia como un edificio? Dé tiempo para las respuestas y la discusión.

16. Pídale a cada persona que traiga una fruta la próxima semana.

17. Pídale a los participantes que se tomen de las manos y escuchen cuando usted lea las estrofas de algún himno que hable de la unidad. Luego dirija en una oración de acción de gracias a Dios por la bendición de la unidad en el cuerpo.

Tercera sesión
Semana 2: 2 Naturalezas — la vieja y la nueva

Meta de la sesión: Durante esta sesión los participantes identificarán algún buen fruto que el control de Cristo está produciendo en sus vidas. Identificarán maneras de darle a Cristo más completo control durante la semana que viene.

Cómo prepararse para dirigir la sesión

1. Comience la cadena de oración como la semana anterior. Recuérdele al primero que llame que debe traer una fruta a la reunión.

2. Traiga algunas frutas por si algunos miembros se olvidan.

3. Traiga una cesta grande para poner todas las frutas.

Cómo dirigir la sesión

1. Comience con un tiempo para compartir y orar.

2. Copie el dibujo de la mano en la pizarra y pídales a los participantes que recuerden qué se debe escribir en la palma de la mano, el dedo pulgar y el dedo índice. Marque la palma de la mano y los dedos con las respuestas.

3. Pídales que miren la gráfica del curso en la página 107. Llame la atención a la sesión de esta semana y a la anterior.

4. Comente que Gálatas 5:17 plantea la realidad del conflicto entre las dos naturalezas. Pida a un participante que lo lea.

5. Pregúnteles si recuerdan de qué manera la Biblia describe el conflicto interno. Déles tiempo para las respuestas. Luego pídales a dos participantes que lean Romanos 7:14-24 usando dos versiones diferentes de la Biblia y compare esos pasajes.

6. Llame la atención al recuadro de la página 40: "Las dos naturalezas tienen propósitos opuestos". Pídales a los miembros que identifiquen y dialoguen sobre esos propósitos.

7. Muestre la cesta que trajo y diga: Esto los representa a ustedes antes de que fueran cristianos. ¿Cuál naturaleza tenían? Distribuya tarjetas y lean Gálatas 5:19-21 para identificar el fruto de la vieja naturaleza. Cuando cada uno es identificado, pida que lo escriban en la tarjeta y póngala en el recipiente.

8. Luego pregunte: ¿Qué sucedió cuando se convirtió a Cristo? (Su vieja naturaleza perdió su poder para producir fruto y la nueva naturaleza comenzó a producir su fruto). Después de responder, tome las tarjetas de la cesta y devuélvalas.

9. Diga: Imaginémonos que las frutas que trajeron representan el fruto de la nueva naturaleza. Gálatas 5:22-23 identifica el fruto de la nueva naturaleza. Pida que coloquen sus frutas en la cesta mientras alguien lee el pasaje.

10. A continuación, invite a los que recibieron las tarjetas que tomen una fruta. Pregunte: ¿Qué es lo que sucede? (La vieja naturaleza está fructificando de nuevo en la vida del cristiano.)

11. Pregunte: ¿Cómo llegaron las frutas? (El cristiano las puso). ¿Cómo volvió el fruto de la vieja naturaleza a la cesta? ¿Fue "porque el diablo lo hizo"? ¿Fue "porque tenía que ser"? (¡No! El cristiano lo volvió a poner).

12. Escriba *controlador* y *recipiente* en la pizarra y dirija a los participantes a considerar lo que aprendieron del estudio acerca del significado de esas palabras.

13. Dirija al grupo a repasar lo que hicieron el día 5. Guíelos a observar que tener el fruto adecuado no resulta de reformar la vieja naturaleza, sino de rendirse al control de Cristo.

14. Pida voluntarios que conversen sobre los aspectos en los que les resulta difícil rendirse por completo al control de Cristo.

15. Termine con una oración de clausura en la que recuerde los comentarios que acaban de hacer los participantes.

Cuarta sesión
Semana 3: 3 Aspectos de la salvación
Meta de la sesión: Al terminar esta sesión, los participantes deben ser capaces de distinguir entre la salvación en el pasado, en el presente y en el futuro. También deben ser capaces de explicar cada término con sus propias palabras.

Cómo prepararse para dirigir la sesión

1. Comience la cadena de oración como lo hizo la semana anterior. Además, pídales que cada uno traiga fotos de ellos cuando eran niños o de algún miembro de la familia.

2. Prepare hojas de papel grande, cinta adhesiva y un marcador.

3. Traiga algunas semillas de plantas grandes.

Cómo dirigir la sesión

1. Comience compartiendo asuntos de interés común y ore por ellos. Pida a uno que lea Filipenses 1:3-11 y a otro que ore.

2. Dibuje la mano en la pizarra y pídales que recuerden lo que se debe escribir en la palma de la mano y los tres primeros dedos. Marque la palma de la mano y los dedos conforme los miembros respondan.

3. Pídales que observen la gráfica del curso en la página 107. Llámeles la atención a la sesión de esta semana y de la anterior.

4. Use las citas bíblicas de la semana para un esgrima bíblico.

5. Después de esta actividad, señale que los pasajes que usó hablan de los tres aspectos de la salvación. Adhiera tres hojas grandes de papel a la pared y pídales a los participantes que recuerden cuáles son los tres aspectos de la salvación. A medida que respondan, escríbalos en cada hoja.

6. Pídales que identifiquen la salvación en el pasado, en el presente y en el futuro en 1 Pedro 1:3-9,13.

7. Diríjalos a trabajar en parejas y que repasen el pasaje bíblico para memorizar de esta semana. Pregúnteles: ¿Qué dice Filipenses 1:6 acerca de los tres aspectos de la salvación?

8. Pregunte: ¿Qué cosas se pueden deshacer o cancelar? Por ejemplo: un nudo se puede desatar; una subscripción se puede cancelar; se puede faltar a una cita.

9. Pregunte: ¿Qué cosas no se pueden deshacer o cancelar? Por ejemplo: una bala no se puede disparar dos veces; una planta no puede ser de nuevo un retoño; un recién nacido no puede volver a nacer. Señale que nacer de nuevo es algo que no se puede cancelar o deshacer.

10. Dirija al grupo a que escriba una oración que explique la salvación en el pasado. Escriba la oración en una hoja de papel.

11. Pídales que identifiquen las semillas que trajo y que describan los tipos de plantas que producen esas semillas.

12. Dé tiempo para que muestren sus fotos y digan el peso aproximado cuando nacieron. Pregunte: ¿Qué le ha pasado a su tamaño y apariencia desde que le tomaron esta foto? ¿Qué sería si aún se viera de la misma manera que se ve en la foto después de todos estos años? ¿Qué diría de un cristiano que continúa año tras año de la misma manera "espiritualmente" como cuando nació de nuevo? ¿Qué le debe haber ocurrido al tamaño y la apariencia "espiritual" con el paso del tiempo?

13. Señale que el cambio de tamaño y apariencia "espiritual" de una persona es lo que llamamos la salvación en el presente.

14. Asegúrese que los participantes entiendan el significado de la palabra *encarnación*. Indique que las Escrituras enseñan que Jesús es nuestro Sumo Sacerdote que intercede por nosotros. Pregunte: ¿De qué manera la encarnación de Jesús nos indica que Él es nuestro Sumo Sacerdote?

15. Dirija a los miembros a encontrar Hebreos 4:14-16 en sus Biblias y que lo tengan listo para leerlo. Pídale a uno o dos miembros que den a conocer el testimonio de cómo recurrieron a Cristo por ayuda en esta semana pasada.

16. Lea en voz alta 1 Corintios 10:13 y pregunte: ¿Qué nos dice este versículo sobre las dificultades a las que nos enfrentamos en nuestra vida cristiana? Después que respondan, haga una pausa para orar agradeciéndole a Dios por su gracia. Ore por las personas que dieron su testimonio.

17. Repase el material de estudio al comienzo del día 4. Asegúrese de que los participantes comprenden el significado de "sed llenos del Espíritu Santo". Ser lleno no es asunto de capacidad (cuánto tenemos), sino de posesión (cuánto Él nos tiene).

18. Guíe al grupo a componer una oración que defina la salvación en el presente y escríbala en la hoja de papel grande.

19. Pregunte y dialogue: ¿En qué sentido nuestra salvación será incompleta hasta un momento futuro?

20. Guíe a los participantes a escribir una oración que defina la salvación en el futuro y póngala en la hoja de papel grande.

Quinta sesión
Semana 4: 4 Fuentes de autoridad

Meta de la sesión: Al terminar esta sesión los participantes podrán explicar (1) por qué la tradición, las experiencias y el intelecto son normas inadecuadas para determinar la verdad; (2) la manera en que estos tres se relacionan con las Escrituras para determinar la verdad; (3) y por qué la Biblia es la única y verdadera autoridad para la vida cristiana.

Cómo prepararse para dirigir la sesión

1. Comience la cadena de oración como cada semana.

2. Prepare a uno de los participantes para que narre esta historia: Una pareja de recién casados se preparaba para cocinar un jamón. La esposa cortó la pierna y botó la mejor parte. Cuando su esposo le preguntó por qué había tirado la mejor parte, ella respondió: "Mamá siempre lo hacía así". Cuando de nuevo fueron a la casa de la mamá de ella, el esposo de la hija le preguntó por qué ella cortaba la mejor parte del jamón y la botaba. La suegra respondió: "Mi abuela siempre lo hacía". Al ver a la abuela, el esposo le preguntó: "¿Por qué usted siempre cortó y botó la mejor parte del jamón?" La abuela respondió: "Porque mi cacerola era tan pequeña que no cabía el jamón entero".

3. Prepare a uno de los participantes para que narre esta historia: Cuatro ciegos examinaban un elefante. Uno le tocó la trompa y dijo: "Este animal es curvo y largo, y tiene una gran boca al final". El segundo le tocó la pata al elefante y dijo: "¡No! Este animal se parece a un árbol". El tercero lo tomó por la cola y dijo: "Los dos están equivocados. Es pequeño como una serpiente y tiene pelo al final". El último ciego, que estaba sentado sobre el elefante dijo: "Ustedes no saben de lo que están hablando. Este animal es tan grande como un globo aerostático".

4. Busque ejemplares de "Fe y mensaje bautista". Si puede, tenga un ejemplar para cada participante.

Cómo dirigir la sesión

1. Comience compartiendo asuntos de interés común y ore por ellos. Dirija en oración.

2. Copie el dibujo de la mano en la pizarra y pídales a los participantes que traten de recordar lo que se debe escribir en la palma de la mano y los primeros cuatro dedos. Marque la palma de la mano y los dedos con las respuestas de ellos.

3. Pídales que observen la gráfica del curso en la página 107. Llame la atención a la sesión de esta semana y de la semana anterior. Después pregunte y dialogue: Si fueran a resumir el estudio de esta semana en una oración, ¿cómo diría?

4. Llame a la persona que preparó para contar la historia del jamón de la abuela. Después de narrada la historia, pida al grupo que sugiera una moraleja de la historia para el caso de iglesias cegadas por las tradiciones. Ejemplos: (1) Las tradiciones pudieron comenzar por una razón que ya no se aplica. (2) Las tradiciones se deben evaluar a la luz de los presentes recursos y las necesidades. (3) Las tradiciones tienen poco valor por sí mismas, solo si de alguna manera satisfacen una necesidad.

5. Llame a la persona designada para contar la historia de los cuatro ciegos y el elefante. Pida al grupo que considere el peligro de usar los sentimientos y las experiencias como ideas religiosas válidas. (La experiencia de fe y religiosa se extiende más allá de nuestros sentimientos y experiencias puede que nos digan. Depender de sentimientos y experiencias tiene límites definidos. Los sentimientos y las experiencias no son siempre un reflejo verdadero de la realidad. Dios está con nosotros sin tener en cuenta cuán altos o bajos estén nuestros sentimientos).

6. Pida a voluntarios que den su testimonio en lo que fueron engañados por sus sentimientos, sus emociones o su percepción de la realidad.

7. Pídales que opinen con respecto a esta afirmación: *Crea solo en lo que puede ver, probar y entender.* Guíelos a que observen que el intelecto en última instancia descansa en la fe. No podemos ver ni probar las emociones, los pensamientos, las ideas, el amor, la electricidad, los átomos y tantas otras cosas. Aceptamos muchas cosas que no podemos ver ni probar.

8. Dirija la atención del grupo hacia el cuadro que completaron en la página 74 y para que identifiquen las importantes distinciones en las definiciones de la gráfica. Tres fuentes de autoridad provienen de fuentes estructuradas o determinadas por nosotros. La postura cristiana distintiva es que Dios se revela por su propia iniciativa, elección y amor. Después pregunte: ¿Cuál de los pasajes bíblicos para memorizar esta semana se aplica a estas tres fuentes? (1 Corintios 2:14). Forme parejas para verificar su memorización de este versículo.

9. Pregunte: ¿Cuál de los versículos para memorizar de esta semana declara la única y verdadera fuente de autoridad para los cristianos? (2 Timoteo 3:26). Pida que las mismas parejas verifiquen la memorización del versículo.

10. Lea en voz alta la afirmación bíblica que aparece en la página 7 en el folleto "Fe y mensaje bautistas". (Tenga suficientes ejemplares disponibles, dé uno a cada participante). A continuación pídales que recuerden del estudio y consideren (1) las razones por las cuales la Biblia es la única y verdadera fuente de autoridad para los cristianos y (2) de qué manera las demás fuentes de autoridad se relacionan con la Biblia para determinar la verdad.

11. Termine con una oración.

Sexta sesión
Semana 5: El principio de 5 más 5

Meta de la sesión: Al terminar esta sesión, los participantes habrán practicado el dar a conocer sus testimonios. Habrán considerado planes para dar a conocer sus testimonios y habrán repasado lo que han aprendido en el estudio de "Sígueme Uno".

Cómo prepararse para dirigir la sesión

1. Comience la cadena de oración como lo ha hecho cada semana. Pídale a cada uno que le avise al que sigue que el día 5 les pide que den a conocer su testimonio por lo menos a una persona antes de la próxima sesión.

2. Tenga preparadas hojas en blanco para la sesión.

Cómo dirigir la sesión

1. Comience compartiendo asuntos de interés común y ore por ellos. Dirija en oración.

2. Pídales que observen la gráfica del curso en la página 107. Llame la atención a esta semana y a la anterior.

3. Pídales a voluntarios que cuenten sus experiencias al tratar de darle su testimonio a una persona que no está dispuesta a escuchar. Pídales que hablen acerca de la experiencia, cómo se sintieron y qué hicieron después de que los rechazaron. Sea sensitivo y apoye en lo posible. No dude en hacer una pausa y orar si algún participante se siente desalentado o agobiado.

4. Pregunte y dialogue: ¿De qué manera reaccionó a la idea de que ustedes pueden ganar a las personas para Cristo sin tener que testificarles?

5. Pregunte y dialogue: El hecho de que podamos comenzar a testificar a las personas sin testificarles directamente, ¿significa que no es necesario testificarles? (¡Por supuesto que no! Debemos buscarlas y darles testimonio a los que están dispuestos a escucharnos y continuar orando por los que no están dispuestos a escucharnos).

6. Pídales que digan cómo se sienten al tener que orar por personas que no dejan que les hablen de Cristo.

7. Reúna a los participantes en grupos de dos o tres personas y asígneles este ejercicio para ser llevado a cabo por cada grupo: (1) Pida a cada uno que diga el nombre de una de las cinco personas que no están dispuestas a escuchar su testimonio, por qué no puede testificarle, y de qué manera pide, busca y llama por esa persona. (2) Después que cada uno haya participado, oren juntos por cada persona mencionada.

8. Reúna al grupo y pida a cada uno que dé a conocer su testimonio de la página 104 de "Sígueme Uno" y hablen de su experiencia al darle el testimonio a una persona perdida.

9. Dedique el tiempo restante a concluir este estudio. Expréseles aprecio por el arduo trabajo de los participantes y por el compañerismo que se ha formado.

10. Explique que los participantes recibirán créditos por este estudio. Pídales que completen la página 127 en "Sígueme Uno", que la separen del libro y se la entreguen.

11. Tómense de las manos en un círculo y dirija en una oración final de gratitud y alabanza.

Guía para el Líder

Esta Guía tiene la intención de que se use para guiar a un nuevo cristiano a través del estudio individual de "Sígueme Uno". Antes de que trate de servir como un consejero para un nuevo cristiano, debe haber trabajado en el "Sígueme Uno" y estar bien familiarizado con su contenido. Además, debe haber memorizado perfectamente todos los pasajes bíblicos para memorización asignados.

La guía le da indicaciones para una reunión preliminar seguida de seis sesiones para que guíe a sus nuevos amigos a través del estudio individual de "Sígueme Uno". Las seis sesiones seguirán el mismo plan.

Repaso del pasaje bíblico para memorizar
Desde la segunda reunión, siempre habrá versículos de las Escrituras para memorizarse y que se revisarán cada semana. En cada sesión debe hacer lo siguiente:
1. Mencionar todos los versículos bíblicos memorizados, incluyendo sus referencias.
2. Pedirle a su amigo que los cite.
3. Repasar el versículo de la semana siguiente.
4. Compartir los significados especiales que los versículos han tenido en sus vidas.

Explicación
Usará los pasajes bíblicos para dar aliento y seguridad con respecto a las dudas y preguntas relacionadas con el estudio de esa semana. Las preguntas que su amigo tendrá cada semana serán únicas. Esta guía le sugerirá distintas preguntas. Use las que crea le serán una ayuda o ahondarán en el entendimiento del material estudiado por su amigo.

Examinar el ejemplo de Jesús
Examinará pasajes de las Escrituras para observar cómo Jesús enseñó y vivió la verdad que su amigo ha estudiado durante la semana anterior.

Tareas
Repasará los ejercicios para hacerse en la próxima semana.

Reunión preliminar
Tan pronto como sea posible, tenga una reunión preliminar con la persona a la que aconsejará. El propósito de esta reunión debe ser el siguiente:
1. Escoger un tiempo conveniente para reunirse cada semana durante las próximas seis semanas. Cada reunión durará un mínimo de 45 minutos.
2. Compartir lo que Jesús ha hecho en su propia vida.
3. Preparar con el nombre de la persona un ejemplar de "Sígueme Uno". Entregárselo y revisar las páginas 3-6. Explicar el significado de la palabra "sígueme" que se usa en el estudio. Asegúrese que su amigo comprenda que no hay peligro de que se pierda la salvación. Luego explique brevemente las verdades que se estudiarán en el curso.
4. Si su amigo no tiene Biblia, haga arreglos para que obtenga una antes de la próxima reunión.
5. Llame la atención a las tarjetas de memorización de las Escrituras en las páginas 125-126. Explique la importancia de usar estas tarjetas y de memorizar los versículos bíblicos asignados para cada semana.
   - Llame la atención a los ejercicios para cada día. Explique que estos estudios diarios deben ayudarlo a alcanzar una vida

cristiana con más significado. Aliéntelo a completar de forma consecuente el trabajo para cada día.

• Asígnele las páginas 7-21 para la primera semana del curso. Explíquele que cada estudio diario requerirá unos 20 minutos. Durante la semana llame a su amigo para ver si ya ha comenzado el hábito de estudiar todos los días. Considere cualquier pregunta que pueda tener acerca de cómo hacer los ejercicios de cada día. Asegúrele que usted ora por él o ella cada día, y pregúntele si hay alguna petición especial por la que quisiera que orara.

Primera reunión de estudio
Semana de fundamento

Explicación

Use 2 Corintios 5:17 para confirmar que somos nuevas criaturas porque Cristo está en nosotros. Hable acerca de los cambios que Cristo ha hecho en su vida. Oren juntos, dándole gracias a Dios porque Cristo ha entrado a sus vidas. Luego considere cualquier duda que su amigo pueda tener.

Considerar preguntas acerca de lo estudiado:

1. *Me resulta difícil estudiar todos los días el material de Sígueme Uno.* El estudio diario es una disciplina. Comparta cómo se ha beneficiado al tener una hora devocional personal. Nada que en realidad vale la pena se logra sin planearlo.

2. *¿Es necesario memorizar las Escrituras?* No. Usted no tiene que memorizar las Escrituras para ser cristiano. Pero hacerlo es una gran ayuda para el crecimiento espiritual y tener las Escrituras en su memoria es una herramienta poderosa para ser usada al enfrentar los ataques de Satanás y las tentaciones.

3. *¿En realidad la oración cambia las cosas? ¿No hará Dios lo que corresponda se lo pidamos o no?* Esta pregunta pierde de vista el verdadero propósito de la oración. La oración es un campo de entrenamiento en el que Dios nos prepara para ser canales para su gracia y obra.

4. *Tengo dificultades con algunos de mis viejos hábitos.* Repase las páginas 16-18 en su libro "Sígueme Uno". Considere acerca del poder de Cristo (Mateo 28:18) y la disponibilidad de ese poder para superar los malos hábitos.

5. *¿Cómo le digo a mis amigos lo que me ha sucedido?* Pídale más detalles sobre amigos específicos que necesitan que se les diga. Déle sugerencias acerca de las maneras para abordar el tema sin que parezca un mojigato.

Examinar el ejemplo de Jesús

Jesús no solo enseñó la verdad, la vivió. Examine los siguientes pasajes de las Escrituras para observar cómo la vida de Cristo ilustró la verdad que enseña este curso.

1. Jesús tuvo su hora devocional: Marcos 1:35.
2. Jesús memorizaba las Escrituras: Mateo 4:4,7, 10.
3. Jesús oró por detalles específicos de su vida: Lucas 11:1.
4. Jesús enfrentó las tentaciones que nosotros también enfrentamos: Hebreos 4:15-16.
5. Jesús compartió con los demás su relación con el Padre: Juan 14:6-7.

Tareas

Aliente a su nuevo amigo a seguir estudiando cada día "Sígueme Uno". Asígnele las páginas 23-27 para la próxima semana. Repase estas lecciones que se enfocan en el tema de la iglesia. Comparta la importancia que tiene para su propia vida el ser miembro de la iglesia. Anime a su nuevo amigo a que se una al compañerismo de una iglesia local si aún no lo ha hecho. Déle a conocer la manera en que usted descubrió sus dones espirituales. Nombre a personas cuyos dones le han ministrado a usted de forma especial. Si han conversado sobre algún hábito en particular o áreas con problemas, acuerden un tiempo para orar cada día por ellos.

Segunda reunión de estudio
1 Cuerpo
Repaso del pasaje bíblico para memorizar

Siga las instrucciones sugeridas al comienzo de esta Guía para repasar la memorización de las Escrituras.

Explicación

1. Use 1 Juan 5:11-12 para reafirmarle a su amigo que está perdonado y salvo en Cristo eternamente.
2. Use Juan 10:28 para mostrar que Cristo nos sostiene firmemente y nos asegura que nunca pereceremos.
3. Use 1 Juan 1:9 para mostrar que Cristo siempre está dispuesto a perdonarnos cuando fallamos.
4. Use el Salmo 119:11 para considerar cómo las Escrituras nos ayudan cuando rechazamos el pecado.

Considerar preguntas acerca de lo estudiado:
Estas preguntas se relacionan con el material de estudio. Sin embargo, quizás su amigo puede tener preguntas más importantes para él. Respóndalas primero. Considere por lo menos una o dos de estas preguntas para reafirmar las verdades estudiadas.

1. *¿Por qué Pablo empleó el cuerpo humano para describir a la iglesia?* Porque la iglesia es un organismo, no una organización.
2. *Después de estudiar "Sígueme Uno" durante cinco días, ¿qué debo hacer los otros dos días?* Use esos dos días para prepararse mediante el estudio de la Biblia y la participación en los grupos de discipulado. También puede desear usar parte del tiempo repasando sus versículos bíblicos para memorizar.
3. *¿Por qué es importante el compañerismo con otros cristianos?*

Recuérdele a su amigo lo que aprendió en esta semana de que otros cristianos tienen dones importantes para su crecimiento espiritual y que ella o él tiene importantes dones para ellos.
4. *¿Cómo puedo darle a conocer a otros mi nueva vida?* Puede pedirle que vaya hasta la página 104 y ayudarlo a preparar un testimonio personal de un minuto para usarlo ahora.
5. *¿De qué manera el amor cristiano difiere del amor secular?* El amor secular está arraigado al carácter de la persona. Este amor con frecuencia se basa en sentimientos o en lo que la persona recibe a cambio. El amor cristiano se fundamenta en el carácter de Dios y lo revela.
6. *¿Puedo usar los dones espirituales sin amor divino?* No. Los dones espirituales son el amor de Dios que fluye a través de usted hacia otros.
7. *¿Qué significa "conforméis a este mundo"?* (Romanos 12:1-3). Significa vivir de acuerdo a las normas de este mundo.
8. *¿Qué significa "la renovación de vuestro entendimiento"?* Es afirmar, confirmar y redirigir su mente hacia las cosas del Espíritu. Es estar haciendo las cosas que sirven al propósito de Cristo y le traen gloria a Dios.
9. *¿Cómo descubriré mi inigualable don espiritual?* Revise el material de las páginas 30-33 de "Sígueme Uno". Aliente a su nuevo amigo a ser paciente y a buscar la dirección de Dios junto con el consejo y el apoyo de otros cristianos.

Examinar el ejemplo de Jesús

Use los siguientes pasajes bíblicos para mostrar cómo la vida de Jesús ilustró la verdad que se ha enseñado en "Sígueme Uno".
1. Jesús satisface nuestras necesidades espirituales: Juan 2:19-22.
2. Jesús tenía constante compañerismo con otros: Lucas 22:11-16.
3. Jesús constantemente guió a los demás al Padre: Juan 4:39-42.
4. Jesús siempre dependió del poder del Padre: Juan 5:19.

Tareas

Repase el material de las páginas 39-54 . Oren y anime a su amigo a orar en voz alta con usted. Revise los problemas que han considerado y se han comprometido a continuar orando a una hora determinada por esos problemas. Pídale a su amigo que planee un encuentro suyo con sus amigos y parientes que no son salvos.

Tercera reunión de estudio
2 Naturalezas
Repaso del pasaje bíblico para memorizar

Siga las instrucciones sugeridas al comienzo de esta Guía de consejero persona a persona para repasar la memorización de las Escrituras.

Explicación

1. Use el Salmo 32:5 para considerar el perdón inmediato que tenemos si nos enfrentamos directamente con el pecado.
2. La confesión causa el perdón (1 Juan 1:9).
3. Use el Salmo 119:105 para tratar acerca de la fuente que tenemos para determinar cuál es la voluntad de Dios. Las Escrituras nos dan principios para guiar nuestra vida en todos los aspectos. La Biblia es una guía totalmente confiable para ayudarnos a descubrir la voluntad de Dios en cualquier situación.

Considerar preguntas acerca de lo estudiado:

1. *¿Cambia o mejora la vieja naturaleza después de mi conversión a Cristo?* Gálatas 5:17 describe la constante elección que los cristianos deben tomar. Cuando elegimos la naturaleza de Cristo tenemos victoria. Cuando elegimos la vieja naturaleza, la derrota es segura.
2. *¿Cuál es el valor de decidir hacer lo mejor?* No mucho si su decisión es del nivel de las resoluciones de Año Nuevo. La vieja naturaleza nunca llegará a ser mejor de lo que es. Sin embargo, decidir hacer lo mejor es la primera etapa del arrepentimiento, sí tiene valor, pero es solo el comienzo.
3. *¿Es posible que haya paz entre mis dos naturalezas?* No en el sentido de que se declare una tregua. Sin embargo, Romanos 8:2 nos indica que podemos librarnos del conflicto entre ellas al elegir dejar que Cristo que reine en nuestra vida.
4. *¿La presencia de Cristo en mi vida depende de mi obediencia?* No. Lea Gálatas 4:6. El hecho de que usted es hijo de Dios no se fundamenta en lo que hace, sino en el hecho de que Dios es su Padre (Juan 1:12-13).
5. *¿Por qué los cristianos se desalientan y se frustran?* En primer lugar, porque elegimos confiar en nosotros mismos en lugar de en Dios, o porque elegimos seguir nuestra propia voluntad mejor que la voluntad de Dios. Cuando escogemos que la voluntad de Dios reine en nuestra vida, el desaliento y la frustración no pueden aparecer.

Examinar el ejemplo de Jesús

1. Jesús sabía que nuestra vieja naturaleza requeriría del perdón una y otra vez: Mateo 18:21-22.
2. Jesús conoce nuestras áreas peligrosas: Mateo 4:1-11.
3. Jesús está intercediendo por nosotros antes de que seamos tentados: Lucas 23:21-32.
4. Jesús nos enseña que las consecuencias de la vida dependen del cimiento: Mateo 7:24-27.
5. Jesús mostró su poder sobre la carne: Juan 11:43-44.
6. Jesús nos asegura que su fortaleza está a nuestra disposición hoy: Mateo 6:11, 34.

Tareas

1. Asígnele las páginas 56-72 en "Sígueme Uno".
2. Repase la gráfica del curso en la página 107. Llame la atención a los títulos de las columnas. Resuma brevemente las ideas que se estudiarán la próxima semana.
3. Oren juntos. Recuerde incluir algunas de las áreas de conflicto entre la vieja y la nueva naturaleza de que han hablado durante esta reunión.

Cuarta reunión de estudio
3 Aspectos de la salvación

Repaso del pasaje bíblico para memorizar

Siga las instrucciones sugeridas al comienzo de esta Guía para repasar la memorización de las Escrituras. Asegúrese de repasar todos los versículos memorizados hasta la fecha. Recalque la importancia de conocer las referencias tanto como los versículos bíblicos. Siempre diga primero la referencia y luego cite el versículo.

Explicación

Consideren a Proverbios 3:5-6, concéntrese en la declaración: "No te apoyes en tu propia prudencia".Discuta cómo esta declaración se relaciona con buscar en la Biblia las respuestas a nuestras preguntas. Señale que incertidumbre no es lo mismo que incredulidad, y que Dios tiene una respuesta para cada una de nuestras preguntas. Pedirle a Dios las respuestas a sus incertidumbres y preguntas no es malo. Luego mediten juntos en Proverbios 28. 13. Céntrese en la idea de nuestros pecados siendo cubiertos. Dios responde a nuestro arrepentimiento con su perdón, aunque no lo merezcamos. El amor de Dios no es una recompensa por ser buenos. Nuestro pecado no cambia el hecho de que somos sus hijos.

Considerar preguntas acerca de lo estudiado:

1. *¿Está incompleta mi salvación en el presente?* Está totalmente completa y no puede perderse. La libertad de la pena del pecado es completa. La vida cristiana es un proceso. Día a día, nuestro Señor resucitado que vive en nosotros nos libera del poder y la influencia del pecado. La salvación no será final y plena hasta un momento en el futuro, cuando Él regrese y nos libere para siempre de la presencia del pecado.
2. *¿Este aspecto cotidiano de la salvación significa que puedo pecar todo lo que quiera?* ¿Quiere pecar? El Hijo de Dios que vive en usted debe echar fuera el deseo de pecar. Cualquier cosa que no glorifique a Cristo será cada vez menos agradable. Primera Juan 2:9-10 subraya este concepto.
3. *¿Cómo puedo saber cuándo soy lleno con el Espíritu?* Ser llenos del Espíritu produce resultados evidentes en su vida. Gálatas 5:22-23 menciona nuevas características de la persona que ha sido llenada con el Espíritu.
4. *Ser llenos con el Espíritu, ¿es una experiencia que se vive una sola vez?* No. Recibir la presencia del Espíritu es algo que sucede una sola vez en la vida, en el momento en que creyó en Cristo. Ser lleno con su poder depende de su obediencia y su confianza en Él. Usted aprendió esta semana en Efesios 5:18 que debe ser lleno del Espíritu. Dios desea ayudarlo en su crecimiento hacia la madurez. Cuando lo hace así, enfrenta distintos aspectos de la vida que necesitan ser llenados por el Espíritu. Cuando un nuevo aspecto aparece, Él está presente para llenarlo con Él mismo.
5. *¿De dónde recibo el poder para testificar de mi salvación?* Mateo 28:18 nos dice que Jesús "tiene toda potestad en el cielo y en la tierra". El único que tiene ese poder vive en nosotros. Usted no tiene que conseguir ese poder. Ya tiene a uno que lo posee.

Examinar el ejemplo de Jesús

1. Jesús nos asegura nuestra salvación en el presente: Mateo 11:28-30.
2. Jesús nos da un nuevo propósito cuando nos salva: Lucas 5:10-11.
3. Jesús enseñó que la salvación implicaba crecimiento: Juan 16:12-15.
4. Jesús nos libra de la esclavitud del pecado: Juan 8:31-36.
5. Jesús hace que confiemos en Él, en lugar de confiar en nuestros propios recursos: Juan 21:15-19.
6. Jesús comprende nuestra ignorancia acerca de nuestras propias debilidades: Mateo 26:33-35.
7. Jesús nos resucitará en el día final: Juan 6:38-40.
8. Jesús espera que tengamos una sed permanente por Él: Juan 7:37; Apocalipsis 21:6; 22:17.

Tareas

Asígnele las páginas 90-106 en "Sígueme Uno". Recalque de nuevo la importancia de un tiempo habitual y diario para estudiar, meditar y orar. Oren juntos alabando al Señor por las experiencias recientes de oraciones contestadas.

Quinta reunión de estudio
4 Fuentes de autoridad

Repaso del pasaje bíblico para memorizar

Siga las instrucciones sugeridas al comienzo de esta Guía para repasar la memorización de las Escrituras. Compartan experiencias que usted y su amigo han tenido al aplicar los versículos bíblicos a las situaciones de la vida diaria.

Explicación

1. Consideren juntos a Romanos 10:17. ¿Por qué escuchar precede a la fe? La fe no ocurre automáticamente. Es el resultado de un proceso. En primer lugar, hay una autoridad: la palabra de Cristo. En segundo lugar, hay el conocimiento de la autoridad: oír la palabra de Cristo. En tercer lugar, hay fe: la confianza completa y absoluta que depositamos en lo que oímos y conocemos de Él en las Escrituras.

2. Dialoguen acerca de lo que significa ser espiritual. Lean juntos Gálatas 5:16. Luego señale que una persona no es espiritual por su conocimiento, su intelecto o sus experiencias. Más bien, una persona es espiritual porque tiene una correcta relación con el Espíritu. La espiritualidad es un proceso continuo en la vida, mediante el cual somos sensibles al Espíritu Santo.

Considerando preguntas acerca de lo estudiado:

1. *¿Por qué es inadecuado mi propio intelecto para juzgar?* El conocimiento absoluto del bien y el mal descansa en Dios. Cuando el pecado entró en la raza humana, todo se corrompió a nuestro alrededor —incluso nuestro intelecto— y cayó bajo la influencia del pecado. No podemos confiar en nuestra mente para razonar con absoluta exactitud qué es lo correcto y qué no lo es. Solo Dios puede revelarnos esa verdad.

2. *¿Por qué son atrapadas las personas en sectas y siguen a falsos líderes?* Porque creen que una persona, una experiencia o una filosofía son la fuente de la verdad. Esta es una trampa mortal que Jesús denunció con firmeza.

3. *¿Son todas las tradiciones religiosas peligrosas?* No. Muchas tradiciones están dentro del marco de las Escrituras. Las tradiciones se vuelven peligrosas cuando las hacemos más importantes que las Escrituras, o cuando esas tradiciones contradicen la clara enseñanza de Dios.

4. *¿Cómo puedo entender mejor la Biblia?* En primer lugar, continúe por toda la vida el hábito de leer y meditar en la Biblia diariamente. En segundo lugar, estudie bajo la dirección de

maestros competentes y respetados. En tercer lugar, utilice buenas herramientas de estudio bíblico. Estas incluyen una buena Biblia de estudio, un diccionario bíblico, una concordancia y comentarios bíblicos.

5. *¿Pueden las personas encontrar a Dios sin la Biblia?* Sí. Lea Romanos 1:20. Lo que no pueden encontrar sin la Biblia son los antecedentes acerca de Jesucristo y la manera en que Dios proveyó salvación para todas las personas.

Examinar el ejemplo de Jesús

1. Jesús destacó el valor permanente de las Escrituras: Mateo 5:17-20.
2. Jesús culpó a la tradición de ser una autoridad inadecuada: Mateo 23:1-31.
3. Jesús culpó a las experiencias humanas de ser una fuente de autoridad inadecuada: Marcos 8:12; Lucas 11:29-32.
4. Jesús culpó al intelecto en sí mismo de ser una autoridad inadecuada: Mateo 22:23-29.
5. Jesús nos enseñó a escudriñar las Escrituras para encontrarlo a Él: Juan 5:38-40.
6. Jesús dijo que el Espíritu Santo nos enseñaría cuando estudiamos las Escrituras: Juan 16:13-15.
7. Jesús nos dio las Escrituras para que pudiéramos creer en Él: Juan 20:30-31.

Tareas

1. Asígnele las páginas 90-106 en "Sígueme Uno". Señale como 1 Corintios 11:31 nos instruye a examinarnos como parte del modelo de nuestro crecimiento cristiano. Guíe a su amigo a hacer una lista con los que considera que son sus puntos fuertes y sus puntos débiles. Luego consideren cómo utilizar los puntos fuertes durante la próxima semana y cómo Cristo puede mostrar su suficiencia en cada punto débil.

2. Dialoguen cómo afecta su vida la presión de sus compañeros. Comparta con su amigo algunas de las batallas que ha tenido en esta área. Anímelo a encontrar cómo usar las Escrituras como autoridad para enfrentar la presión de los compañeros en los asuntos cotidianos de la vida. Luego guíe a su amigo a hacer una lista con los pasos que tomará durante la próxima semana para ocuparse de esa presión.

3. Oren juntos y descansen en el Señor cada debilidad y acójanse a su fortaleza para ser suficientes.

Sexta reunión de estudio
5 El principio de 5 más 5
Repaso del pasaje bíblico para memorizar

1. Siga las instrucciones sugeridas al comienzo de esta Guía para repasar la memorización de las Escrituras.
2. Lean juntos Filipenses 4:6 y destaque el significado de la palabra *toda*. Consideren estas preguntas: ¿Qué significa este versículo? ¿Cómo oramos por los perdidos en el espíritu de este versículo? ¿Cómo puede fortalecernos este pasaje en las presiones diarias que enfrentamos? Luego dialoguen sobre la importancia de continuar memorizando las Escrituras aún cuando ya se haya terminado este curso.

Explicación

Destaque la seguridad que su amigo puede tener de que Cristo lo ayudará a ganar a otros.

1. Lean juntos Jeremías 33:3. Señale que no debemos preocuparnos por el futuro. Dios conoce el futuro; podemos dejarlo en sus manos.
2. Si no oramos estamos sin poder ante la incredulidad de nuestros amigos. A través de la oración podemos ganar a los perdidos para Cristo.

Considerar preguntas acerca de lo estudiado:

1. *En 1 Timoteo 2:8, ¿qué significa orar "sin ira ni contienda"?* Lea 1 Juan 1:6-7. Nuestras oraciones reflejan nuestro espíritu interior. Cuando tratamos de orar mientras estamos enojados con otro o mientras tengamos pensamientos contenciosos, nuestras oraciones reflejarán ese espíritu. Debido a que la oración en grupo se menciona en 1 Timoteo 2:8, tales actitudes podrían reflejarse en la oración personal. Tal oración causa todavía más tensión. Los problemas en el compañerismo se deben resolver para que la oración sea un acto de unidad y amor.

2. *¿Cuánto tiempo pasará para que Dios responda mis oraciones?* Dios conoce cuándo las condiciones son apropiadas para responder a sus oraciones. Muchas veces lo que parece ser una demora en la respuesta a las oraciones, es sencillamente un tiempo de preparación.

3. *¿Qué significa orar en el nombre de Jesús?* Las oraciones hechas en el nombre de Jesús están en armonía con la naturaleza de Él, bajo la dirección del Espíritu Santo y de acuerdo con su voluntad.

4. *¿Por qué Jesús les dijo a sus discípulos que comenzaran a testificar en Jerusalén antes de ir a otros lugares?* Porque Él estaba en Jerusalén cuando hablaba. Jesús quería decir que ninguna persona debía ser pasada por alto, sino que debían comenzar a hablar acerca de Él desde donde se encontraban.

5. *¿Cómo puedo darle evidencias a los demás?* Mediante la manera en que vive, las palabras que dice y por su espíritu de siervo hacia los incrédulos.

Examinar el ejemplo de Jesús

- Jesús lloró por los perdidos: Mateo 23:37.
- Jesús oró que fuera usado para redención del perdido: Marcos 14:32-36.
- Jesús nos enseñó que debemos pedir antes de que podamos recibir: Juan 16:23.
- Jesús nos enseñó a servir a los incrédulos: Mateo 5:40-48.
- Jesús nos prometió darnos poder para testificar: Hechos 1:8.

Conclusión

1. Considere con su amigo qué compromisos desean hacerse mutuamente con respecto al futuro de su relación. Destaque la posibilidad de seguir siendo compañeros de oración y compañeros para testificar.

2. Use el pasaje de 2 Timoteo 2:2 para mostrarle a su amigo que la tarea de ministrar a sus necesidades no estará terminada hasta que él le haya transmitido a otra persona lo que aprendió de usted. Anímelo a usar "Sígueme Uno" para ayudar a otra persona, posiblemente a alguien que acaba de convertirse a Cristo.

3. Ayude a su amigo a completar la página 127. Firme y ponga la fecha en la planilla como maestro. Luego quite la página del libro y désela a la persona en su iglesia responsable de solicitar los créditos.

4. Converse con su amigo acerca de cómo esta experiencia lo ha ayudado a crecer como cristiano. Luego oren juntos dando gracias y alabando a Dios por las horas que han pasado juntos y por los cambios que estas horas han realizado en sus vidas.

Semana fundamento **CRISTO VIVE EN USTED** **Salmo 119:11**	**Semana 4 Versículo 1** **4 FUENTES DE AUTORIDAD** **1 Corintios 2:14**
Semana 1 **1 CUERPO** **Romanos 12:4–5**	**Semana 4 Versículo 2** **4 FUENTES DE AUTORIDAD** **2 Timoteo 3:16**
Semana 2 **2 NATURALEZAS** **Gálatas 5:16, 22–23**	**Semana 5 Versículo 1** **EL PRINCIPIO DE 5 MÁS 5** **Filipenses 4:6**
Semana 3 **3 ASPECTOS DE LA SALVACIÓN** **Filipenses 1:6**	**Semana 5 Versículo 2** **EL PRINCIPIO DE 5 MÁS 5** **Mateo 28:18–20**

Semana 4
4 FUENTES DE AUTORIDAD
Versículo 1
"Pero el hombre natural no percibe las cosas que son del Espíritu de Dios, porque para él son locura, y no las puede entender, porque se han de discernir espiritualmente".

1 Corintios 2:14

Semana fundamento
CRISTO VIVE EN USTED
"En mi corazón he guardado tus dichos, para no pecar contra ti".

Salmo 119:11

Semana 4
4 FUENTES DE AUTORIDAD
Versículo 2
"Toda la Escritura es inspirada por Dios, y útil para enseñar, para redargüir, para corregir, para instruir en justicia".

2 Timoteo 3:16

Semana 1
1 CUERPO
"Porque de la manera que en un cuerpo tenemos muchos miembros, pero no todos los miembros tienen la misma función, así nosotros, siendo muchos, somos un cuerpo en Cristo, y todos miembros los unos de los otros".

Romanos 12:4–5

Semana 5
EL PRINCIPIO DE 5 MÁS 5
Versículo 1
"Por nada estéis afanosos, sino sean conocidas vuestras peticiones delante de Dios en toda oración y ruego, con acción de gracias".

Filipenses 4:6

Semana 2
2 NATURALEZAS
"Digo, pues: Andad en el Espíritu, y no satisfagáis los deseos de la carne... Mas el fruto del Espíritu es amor, gozo, paz, paciencia, benignidad, bondad, fe, mansedumbre, templanza; contra tales cosas no hay ley".

Gálatas 5:16, 22–23

Semana 5
EL PRINCIPIO DE 5 MÁS 5
Versículo 2
"Y Jesús se acercó y les habló diciendo: Toda potestad me es dada en el cielo y en la tierra. Por tanto, id, y haced discípulos a todas las naciones, bautizándolos en el nombre del Padre, y del Hijo, y del Espíritu Santo; enseñándoles que guarden todas las cosas que os he mandado; y he aquí yo estoy con vosotros todos los días, hasta el fin del mundo".

Mateo 28:18–20

Semana 3
3 ASPECTOS DE LA SALVACIÓN
"Estando persuadido de esto, que el que comenzó en vosotros la buena obra, la perfeccionará hasta el día de Jesucristo".

Filipenses 1:6

Sopa de letras

```
E P U K S U J A M D I B E A M R D
H R A I C N E D I V E K C G J A E
D I B E E P U K S U J A M K M R D
I R P G R B K T Q N H P I A P Z I
R O P O D E N P V V I A L E Y U C
O I D I D I O S R I L L T S B V A
H R A I C E R D T D D K C P C I C
P F I J M P R Q V A C H C I A B I
D A E W D I M R C O R T N R R U O
A T D O O S J S N I W C M I I F N
D I B E E P U K R U O A M T I O B
I R R G R B K O Q Y R P I U L D O
R O P E D E P P C M A A T S T A A
O I D I E R O I R X C T T A G R S
I R D S A A N L F A I E E N A L O
R E K R I C R I S T O S D T L P R
P S O R O F Y A R P N E Q O X E H
T E S T I F I C A R A E R R T O
F E X P E R I E N C I A O D E X Z
```

Crucigrama

Horizontales
- 5. PRESENCIA
- 7. MUERTE
- 8. INFLUENCIA
- 10. ASPECTOSDELASALVACIO
- 13. ESPIRITUSANTO
- 14. EVENTOS
- 15. CONDENACION

Verticales
- 1. EL...
- 2. HERENCIA
- 3. DESCUBRIR
- 4. SUMOSACERDOTE
- 6. NADA
- 9. VIDA
- 11. PROCESO...PROCESATO
- 12. NOPECO
- 13. ESPIRITU